Chères lectrices,

Mardi gras approche, avec ses carnavals hauts en couleur. Porter un masque, se déguiser, être une autre pour quelques heures, quel plaisir délicieux ! Devenir une princesse, une fée ou une comtesse des siècles passés, incarner un de ces personnages merveilleux des contes, des légendes ou de l'histoire, n'est-ce pas s'offrir le plaisir, pour un instant, de vivre leurs vies intenses et romanesques ?

Et puis, dissimuler son identité derrière un déguisement, n'est-ce pas l'occasion de faire naître des situations troublantes et infiniment romantiques, des situations qui nous donnent le délicieux frisson de l'inconnu et de l'aventure ? Par exemple, qui est cet homme mystérieux qui nous regarde derrière son masque ? Est-ce un inconnu ou bien un homme que nous avons déjà rencontré et que nous ne reconnaissons pas encore ?

Laissons-nous emporter par ce bal des masques…

Très bonne lecture.

La responsable de collection

Troublant quiproquo

LUCY GORDON

Troublant quiproquo

COLLECTION AZUR

*éditions*Harlequin

Cet ouvrage a été publié en langue anglaise
sous le titre :
THE ITALIAN BOSS'S AGENDA

HARLEQUIN®

est une marque déposée du Groupe Harlequin
et Azur ® est une marque déposée d'Harlequin S.A.

Toute représentation ou reproduction, par quelque procédé que ce soit, constituerait
une contrefaçon sanctionnée par les articles 425 et suivants du Code pénal.
© 2005, Lucy Gordon. © 2007, Traduction française : Harlequin S.A.
83-85, boulevard Vincent-Auriol, 75013 PARIS — Tél. : 01 42 16 63 63
Service Lectrices — Tél. : 01 45 82 47 47
ISBN 978-2-2802-0566-5 — ISSN 0993-4448

Prologue

Depuis la terrasse de la villa familiale, Carlo et Ruggiero Rinucci contemplaient la baie de Naples qui s'étalait à leurs pieds dans toute sa splendeur.

En cette fin d'après-midi d'hiver, la nuit tombait déjà. Au loin, la silhouette du Vésuve s'élevait, majestueuse, dominant la ville dont les lumières commençaient à scintiller au bord de l'eau comme des myriades de lucioles.

— Ce mois de février est d'un mortel ! soupira Carlo. Noël est déjà loin, et rien ne laisse encore présager le printemps. Ce qu'on s'ennuie…

— En hiver, il y a moins de jolies touristes à Naples, c'est ça qui te chagrine, avoue-le, répliqua Ruggiero en riant. Décidément, les femmes sont une obsession chez toi !

— Chez toi aussi, fit valoir Carlo en décochant à son frère un clin d'œil complice.

— Je ne le nie pas, admit celui-ci.

Dans le dos des jumeaux, Hope Rinucci sourit.

Elle avait mis ces deux magnifiques garçons au monde à quelques minutes d'intervalle, il y avait trente ans tout juste. Et même s'ils ne se ressemblaient pas physiquement, ils n'étaient pas jumeaux pour rien.

— Vous adoreriez l'Angleterre, observa-t-elle. Au mois de février, dans mon pays, on ne s'ennuie pas. Au contraire, on fête la Saint-Valentin, le patron des amoureux, et les gens qui s'aiment échangent des cartes, des fleurs, des cadeaux… Ah, vous seriez à votre affaire, vous deux !

— Dire que c'est Primo qui part là-bas, fit sombrement observer Carlo. Lui qui ne pense qu'à travailler !

— Tu devrais l'imiter ! s'exclama-t-elle, feignant un ton de reproche.

Mais elle plaisantait, car les deux jumeaux travaillaient dur et réussissaient aussi bien que leur aîné.

— Pourquoi donc rachète-t-il autant d'affaires ? interrogea Ruggiero. Il lui en faut toujours plus !

— Tu lui poseras la question ce soir, si tu veux le savoir, rétorqua sa mère. Maintenant, vous devriez rentrer, tous les deux. Je crois que tout le monde est là, et nous ne tarderons pas à passer à table. N'oubliez pas que ce dîner est en l'honneur du départ de Primo.

— Il est tout le temps par monts et par vaux, et tu lui organises un dîner d'adieu chaque fois qu'il s'en va, fit observer Carlo avec une pointe de jalousie.

— Bien sûr, ce sont de bonnes occasions de vous réunir tous, répliqua Hope sans se démonter.

— Tu crois que Luke viendra ce soir ? demanda encore Carlo.

— Pourquoi ne le ferait-il pas ? Luke et Primo se disputent de temps en temps, mais…

Les rires des jumeaux l'empêchèrent d'aller plus loin.

— « De temps en temps » ! répétèrent-ils en chœur.

— D'accord, ils se chamaillent souvent, concéda-t-elle, n'empêche qu'ils sont frères.

— Pas exactement, non, fit valoir Ruggiero. Ils n'ont même aucun lien sanguin.

— Primo est mon beau-fils, et Luke est mon fils adoptif. Ils sont donc frères, déclara Hope avec force. Ce sont *mes* fils, tout comme vous ! Et maintenant, assez discuté.

Un moment après, alors que la famille presque au complet était réunie, elle promena un regard insatisfait autour d'elle.

Il y avait trop d'hommes ici. Où étaient les belles-filles qu'elle attendait depuis si longtemps ? Elle devrait en avoir six, et il n'y avait aucune jeune femme dans la pièce ! Elle qui espérait tant que Justin épouserait Evie. Hélas…

Un soupir lui échappa.

Justin était son fils aîné, celui qui lui avait été ravi dès la naissance et qu'elle n'avait retrouvé que l'année précédente. Il était venu la première fois à Naples avec une jeune Anglaise, Evie, dont il était visiblement épris. Mais celle-ci avait ensuite mystérieusement disparu de sa vie, et lorsqu'il était revenu passer Noël à la villa Rinucci avec son fils Mark, il avait refusé d'en parler.

Quand vint le moment de passer à table, elle avait recouvré sa bonne humeur. Elle prit sa place de maîtresse de maison au centre de la table et contempla ses fils avec fierté.

Aucun ne vivait à la villa, chacun ayant son appartement à Naples, mais elle les réunissait chaque fois qu'elle le pouvait.

Primo, qui comme d'habitude était assis à sa droite, tenait une place particulière dans son cœur. C'était le fils de son premier mari anglais, mais il portait le nom de la mère qu'il avait perdue étant enfant. Une Rinucci, tout comme Toni, le père de ses jumeaux, l'homme dont elle partageait la vie.

— Voilà si longtemps que je ne t'ai pas vu, lui dit-elle, posant une main tendre sur la sienne. Et dire que tu t'en vas encore demain !

— Pas pour longtemps, *mamma*. J'aurai tôt fait de mettre au pas cette filiale anglaise.

— Pourquoi l'avoir rachetée ?

— Parce que Curtis Electronics est une société appartenant à Leonate Europa. Et comme tu le sais, j'ai pris la majorité de Leonate.

— Et pourquoi ?

— Parce que la holding était mal gérée. Enrico ne voulait pas me céder ses parts, mais il a fini par se ranger à mes raisons.

Enrico Leonate, jadis unique actionnaire et propriétaire de Leonate Europa, avait été le premier employeur de Primo quelques quinze ans plus tôt. Primo, qui avait vite appris le métier, avait fait gagner beaucoup d'argent à son patron et en avait beaucoup gagné lui-même, de sorte qu'ils étaient devenus associés. Et puis, Enrico étant âgé et fatigué et Primo jeune et plein d'ambition, le second avait fini par convaincre le premier de lui céder la majorité de la holding.

Primo reprit à l'adresse de ses frères :

— Je compte procéder à quelques licenciements, et promouvoir certains cadres que je chargerai de mettre en œuvre mes stratégies. Cedric Tandy, l'actuel directeur qui est tout proche de la retraite, m'a d'ailleurs recommandé pour le remplacer sa directrice commerciale, une certaine Olympia Lincoln. J'ai l'intention de voir sur place si elle est la personne qu'il me faut.

— Tu ferais confiance à une femme, toi ? s'étonna Hope sur le ton de la plaisanterie.

Primo leva un sourcil.

— Pourquoi pas ? Je ne suis pas sexiste, *mamma* !

Bien que peu convaincue, elle ne voulait pas avoir de discussion avec son fils chéri. Elle se contenta donc de le couver d'un regard tendre.

Le physique de Primo trahissait son double héritage anglo-italien. De sa mère italienne, il tenait ses yeux très noirs, extraordinairement expressifs, tandis que son père anglais lui avait légué un menton volontaire et une bouche ferme, déterminée.

— Luke n'est toujours pas là, lui glissa-t-elle en aparté. Il m'avait pourtant promis de venir.

— Je pense qu'il a préféré s'en abstenir, rétorqua Primo avec un petit rire. Il m'en veut de lui avoir soufflé Tordini.

Rico Tordini était un brillant électronicien dont les deux frères avaient voulu s'assurer les services, et Primo avait fini par l'emporter.

— Luke dit que tu lui as fait un coup bas, déclara Hope à mi-voix.

— Faux ! C'est vrai qu'il a découvert Rico le premier, mais je lui ai fait une offre plus intéressante, voilà pourquoi il a signé avec moi.

— C'est possible, cependant je n'aime pas que mes fils se disputent, soupira sa mère.

— Allons, *mamma*, Luke se vengera en me jouant un tour à sa façon, dit en riant Primo. Il ne s'en privera pas quand l'occasion se présentera, tu le connais.

Les deux frères étaient en rivalité depuis toujours et s'en amusaient. Mieux, c'était une façon de mettre du piment dans leurs vies, et ni l'un ni l'autre n'auraient pu imaginer qu'il en soit autrement, car malgré ça ils s'adoraient.

Luke finit d'ailleurs par arriver alors qu'on en était au dessert et qu'on ne l'attendait plus.

— Salut, l'Anglais, lança Primo, sardonique.

Appeler ainsi son frère, c'était lui rappeler qu'il était le seul fils de cette famille italienne à n'avoir que du sang britannique.

— Je préfère être anglais que bâtard comme toi, rétorqua l'interpellé sur le même ton.

Il faisait allusion à la double hérédité de Primo qui lui permettait de se faire passer pour anglais ou italien quand il le voulait, et de mystifier les gens à sa guise.

Hope intervint précipitamment pour calmer le jeu.

— Je suis heureuse que tu aies pu venir, dit-elle à Luke.

Celui-ci eut un sourire ironique et indiqua Primo du menton :

— Je voulais m'assurer que nous allions être enfin débarrassés de lui.

Ce fut pourtant Luke qui accompagna son frère à l'aéroport le lendemain.

Hope avait tenu à venir aussi. Comme tous deux suivaient des

11

yeux l'avion qui emportait Primo vers Londres, elle ne put réprimer un soupir.

Luke lui entoura les épaules de son bras.

— Ne sois pas triste, *mamma*, il ne s'éternisera pas là-bas.

— Ce n'est pas ce qui m'afflige. Je m'inquiète parce que Primo est trop raisonnable. Il ne pense qu'à ses affaires, ne perd jamais la tête.

Luke eut un sourire amusé.

— N'aie crainte, c'est un Rinucci comme nous tous, il la perdra bien un jour. Il suffit qu'il rencontre la bonne personne.

— C'est toi qui parles ainsi ? Toi qui as toujours refusé de porter le nom de Rinucci ? lui dit-elle sur un ton de reproche.

— Moi ? Je n'ai pas besoin de m'appeler Rinucci pour perdre la tête. Cela m'arrive chaque fois que je croise une jolie fille !

1.

A Londres, au siège de Curtis Electronics, la tension était extrême. Le personnel, employés et cadres, n'en menait pas large. Qui le nouvel actionnaire majoritaire allait-il licencier, et qui resterait en place ?

— Moi, en tout cas, j'espère bien conserver mon poste, déclara farouchement Olympia Lincoln à Sara, son assistante. J'ai consacré assez de temps et d'énergie à l'entreprise pour qu'on me garde !

Sara la regarda avec admiration.

— Vous n'avez pas de chance que Curtis soit reprise juste maintenant, quand M. Tandy va prendre sa retraite. Il vous aurait sûrement laissé sa place de directeur.

Olympia serra les mâchoires sans répondre.

— Dire, poursuivit Sara, qu'on ne sait toujours pas quand ces nouveaux propriétaires italiens vont débarquer !

Olympia hocha la tête, préoccupée.

— En effet. M. Tandy l'ignore lui-même. A son avis, on les verra arriver en début de semaine prochaine, peut-être même aujourd'hui.

— Je serais étonnée que quelqu'un arrive aujourd'hui. C'est vendredi, veille de week-end, fit valoir Sara. Heureusement pour moi, ajouta-t-elle en portant une main lasse sur son ventre déjà très rond. Je commence à être fatiguée, et ma grossesse n'est pas finie, loin de là.

Olympia la dévisagea avec sollicitude.

— Vous n'avez pas l'air bien, en effet. Si j'allais vous chercher une tasse de thé ?

— Inutile, protesta Sara, je peux le faire moi-même, et c'est moi qui devrais vous en apporter une : vous êtes ma supérieure !

— Vous êtes enceinte, moi pas, déclara Olympia avec un sourire chaleureux, se départissant pour un instant de son attitude sévère.

Une sévérité qu'elle cultivait avec soin, bien déterminée à ce que les gens la jugent ainsi. Mais son enjouement naturel refaisait parfois surface quand elle s'y attendait le moins.

— Comme c'est bon, soupira sa secrétaire un moment après en buvant à petites gorgées le liquide brûlant. Dites-moi, Olympia, vous n'avez jamais eu envie d'avoir des enfants ?

— Si, mais il y a longtemps. J'étais alors mariée avec un certain David, follement amoureuse de lui, et je n'avais qu'un désir, être une bonne épouse et la mère de ses enfants. C'est sans doute une honte pour une femme moderne. Mais je n'avais que dix-huit ans, ce qui peut être une excuse.

— Votre mari appréciait votre dévotion, j'espère ?

— Pas le moins du monde ! Il voulait une femme qui travaille, pendant que lui faisait des études en vue d'une carrière brillante. Et c'est ce qu'il a fait : très vite il a gravi les échelons, et pour les gravir plus vite, un beau jour il a aussi changé de femme. Alors je me suis retrouvée sans rien. La leçon a été dure, mais pas inutile. J'ai décidé de faire carrière moi aussi, et de m'y consacrer corps et âme.

— Pour l'instant, vous avez parfaitement réussi, observa Sara, mais… Etes-vous heureuse ainsi ?

— Heureuse ! s'exclama Olympia avec un rire sans joie. Que signifie ce mot ? Je ne suis pas malheureuse, c'est déjà bien ! J'ai cru mourir de chagrin quand David m'a quittée, et je me suis juré que cela ne m'arriverait plus. Aujourd'hui, je pense à mon travail, qui m'intéresse beaucoup, et j'ai bien l'intention de succéder à M. Tandy au poste de directeur de Curtis. Il me reste à convaincre la personne qu'on nous enverra d'Italie que je suis celle qu'il faut pour le job.

— Votre italien a progressé ?

— Je me débrouille à peu près. Mais non sans mal, je l'avoue.

— Je suis sûre que personne ici n'en a fait autant, déclara Sara. Vous au moins, vous avez mis tous les atouts de votre côté pour que les nouveaux acquéreurs vous apprécient.

Olympia hocha la tête. C'était vrai. Elle s'était préparée sans ménager sa peine pour affronter la reprise de l'entreprise par les nouveaux propriétaires, une situation toujours délicate.

Elle se voulait d'abord et avant tout une professionnelle, et elle y réussissait… Du moins aux yeux des autres. Car elle-même connaissait son point faible : quelque part dans son cœur, elle était restée la fille sentimentale qui avait épousé David Korney, celle qui avait aimé son mari à la folie — pire, qui l'avait vénéré sans jamais le juger.

A l'époque, on la considérait surtout comme une très jolie femme. Longue, mince et élancée, avec un visage classique, bien dessiné, encadré par une opulente chevelure brune. Aussi, aujourd'hui, plutôt que de porter ses cheveux libres, ce qui aurait adouci son visage, elle préférait les retenir sobrement en arrière en une grosse tresse ou un chignon austère, pour arborer cette allure sévère qui, jugeait-elle, convenait mieux à son nouveau personnage de femme d'affaires.

Evidemment il y avait, toujours prête à faire surface dans son regard, cette lueur d'espièglerie qu'elle s'efforçait de maîtriser… parfois sans succès. Parfois aussi, elle se laissait emporter par des colères subites, et il lui arrivait de dire des choses qu'elle aurait mieux fait de garder pour elle… Mais elle travaillait à mieux contrôler son impulsivité et faisait des progrès.

En tout cas, quand le représentant du repreneur italien arriverait, elle se montrerait parfaitement maîtresse d'elle-même, elle se le jurait bien !

La voix de son assistante la ramena sur terre.

— Savez-vous qui les Italiens vont-ils envoyer ici pour faire le point sur la situation ?

— Je pense que Primo Rinucci se déplacera en personne. J'ai

fait des recherches sur Internet, et j'ai appris qu'ils sont deux associés : Enrico Leonate et Primo Rinucci, l'actionnaire majoritaire. J'ai trouvé la photo de Leonate, mais malheureusement pas celle de Rinucci.

— Comment est-il, ce *signor* Leonate ?

— Sans beaucoup d'intérêt, et plus tout jeune. Espérons que Rinucci est mieux.

Tout en parlant, Olympia regarda attentivement Sara et fronça les sourcils.

— Vous ne me semblez pas bien du tout.

— C'est seulement un malaise passager. Ça ira mieux dans un moment.

— Pas question que vous restiez à travailler plus longtemps aujourd'hui ! s'exclama-t-elle sur un ton sans réplique. Je ne voudrais pas qu'il arrive quoi que ce soit au bébé !

Sur ces mots, elle décrocha son téléphone pour demander à la réception d'appeler un taxi.

— Vous allez rentrer chez vous et faire venir votre médecin, dit-elle à son assistante après avoir raccroché. Je ne veux plus vous revoir avant l'accouchement si vous n'allez pas mieux.

Sara parut soucieuse.

— Comment vous organiserez-vous sans moi ?

Prenant sur elle, Olympia lui adressa un sourire tranquille.

— On verra bien. N'ayez crainte, j'en ai vu d'autres !

Elle tint à accompagner Sara jusqu'à la réception et à la mettre dans le taxi. Après quoi, elle regagna son bureau sans plus cacher son souci.

En vérité, l'absence de sa secrétaire ne pouvait pas tomber plus mal, avec l'arrivée imminente des repreneurs italiens !

Heureusement, au rez-de-chaussée de l'immeuble se trouvait une agence de personnel intérimaire avec laquelle Curtis travaillait régulièrement. Elle connaissait le directeur et l'appela au téléphone pour lui expliquer la situation.

— Il me faut une personne de toute confiance, insista-t-elle. Ultra compétente. Et surtout, surtout, j'en ai besoin de toute urgence.

— J'ai ce qu'il vous faut. Je vous l'envoie dans moins de dix minutes, lui promit le directeur.

Après avoir reposé le combiné, Olympia se prit la tête dans les mains et, respirant profondément, s'efforça de faire le point avec calme et lucidité.

Après tout, le malaise de Sara n'était peut-être pas grave, et sa secrétaire reviendrait d'ici un jour ou deux… Et puis elle-même connaissait très bien ses dossiers, les Italiens ne la prendraient pas en défaut sur quoi que ce soit… L'intérimaire promise par l'agence l'aiderait sûrement beaucoup, et de toute façon, elle ne se laisserait pas abattre !

Elle l'avait dit à Sara, elle en avait vu d'autres, et c'était la vérité.

— Non, je ne me laisserai pas abattre ! répéta-t-elle à voix basse avant de rouvrir les yeux… et d'avoir le choc de sa vie.

Un homme se tenait devant son bureau et l'observait avec intérêt. Un homme très grand, avec des cheveux bruns bouclés, des yeux noirs au regard profond, et une bouche ferme, bien dessinée.

Rêvait-elle ? Il semblait s'amuser de la voir ainsi. Pourvu qu'elle n'ait pas parlé à haute voix !

— Puis-je quelque chose pour vous ? demanda-t-elle froidement, retrouvant son aplomb.

— Je cherche Olympia Lincoln. A la réception, on m'a dit que c'était son bureau.

Il s'agissait de l'intérimaire envoyé par la société de personnel temporaire ! Il est vrai que le métier d'assistant n'était plus réservé aux femmes.

Le premier étonnement passé, elle pointa le menton en avant.

— C'est moi, déclara-t-elle. Quelle chance que vous soyez monté si vite ! Le directeur m'avait promis de m'envoyer un intérimaire tout de suite, mais…

Elle n'acheva pas sa phrase, se contentant de hausser les épaules.

— Un intérimaire, avez-vous dit ?

— Oui, quelqu'un pour remplacer ma secrétaire pendant quelques jours. Vous travaillez depuis longtemps pour la société ?

— Euh… Non, c'est très récent.

Il la dévisageait à présent avec attention.

— Vous comprendrez vite que nous vivons des heures difficiles, poursuivit-elle. L'entreprise Curtis vient d'être rachetée par une holding italienne, Leonate Europa. Nous attendons l'arrivée des représentants des repreneurs, et tout le monde tremble, ne sachant pas ce qui va se passer !

L'inconnu haussa un sourcil surpris.

— Vous tremblez ? Vous ?

Olympia ébaucha un sourire, secrètement flattée.

— Oh, je saurai faire semblant s'il le faut.

— Le faudra-t-il ?

— Je le saurai mieux quand j'aurai rencontré Dieu le Père.

— Et qui est Dieu le Père ?

— Il s'appelle Primo Rinucci. C'est lui qui doit nous mettre en coupe réglée ! Mais qu'il arrive ! Il verra vite à qui il a affaire, nous saurons nous défendre !

— Pourquoi ce préjugé défavorable ? C'est peut-être quelqu'un de très bien, qui ne veut de mal à personne !

Olympia leva les yeux au ciel. Devant cet inconnu qui, sans connaître rien à la situation, prenait la défense du maudit repreneur italien, elle sentait la moutarde lui monter au nez.

— Ce n'est *pas* quelqu'un de bien ! C'est un prédateur qui croit pouvoir s'approprier tout ce qu'il veut, et tant pis pour les autres. Je voudrais bien l'avoir devant moi pour lui dire son fait.

18

— Il y a seulement une minute, vous ne projetiez pas de faire semblant de trembler devant lui ?

— Ce sera ma première tactique, puis je lui dirai ce que je pense de lui. Qu'il n'aille pas s'imaginer que tout s'achète avec de l'argent !

— En général, c'est ce à quoi sert l'argent, non ? fit doucement observer son interlocuteur.

— Eh bien au diable l'argent, et au diable M. Rinucci !

— Je crains que votre rencontre avec lui ne soit un affrontement de titans, murmura l'homme en souriant.

D'un seul coup, la colère d'Olympia retomba et elle poussa un soupir.

— Oubliez ce que je viens de dire, je n'aurais pas dû parler aussi librement devant vous…

— Je serai muet comme une tombe ! promit son interlocuteur. Jamais je ne dirai à Primo Rinucci ce que vous pensez de lui.

— Merci, je compte sur vous, mais faites attention. Nous ne le connaissons pas, et sans doute est-il le genre de crapule à ne pas dire qui il est pour mieux nous prendre en défaut. Heureusement, comme il est italien, il se trahira.

— Peut-être pas, répliqua son interlocuteur avec douceur. Tous les Italiens ne parlent pas en faisant de grands gestes avec les mains, vous savez. Je me suis laissé dire que certains n'étaient absolument pas différents des gens normaux !

De l'ironie perçait dans sa voix, mais Olympia était trop excitée pour y prendre garde.

— N'empêche qu'il a certainement un accent, insista-t-elle. Il ne peut pas parler l'anglais comme vous et moi.

Primo s'éclaircit la gorge.

La situation l'amusait prodigieusement, et cette fille belle, sombre et emportée le subjuguait. N'empêche que, à sa place, un homme avisé lui dirait la vérité avant qu'il ne soit trop tard… Mais il était déjà trop tard, et pour une fois il n'avait aucune envie d'être avisé.

— Je ne vous ai même pas demandé votre nom, dit alors Olympia Lincoln.

— Pardon ? marmonna-t-il pour gagner du temps.

— Quel est votre nom ? Comment vous appelez-vous ?

— Comment je m'appelle, dites-vous ?

— Oui, articula patiemment Olympia, le regardant comme si elle avait affaire à un semi-demeuré.

L'espace d'un instant, il faillit lui avouer la vérité. C'était la sécurité. Et puis il prit une profonde inspiration et… envoya au diable la sécurité.

— Je m'appelle Jack Cayman, déclara-t-il.

C'était le nom de son père, celui qu'il portait avant de retourner dans sa famille maternelle en Italie et d'adopter celui de Rinucci. De son enfance passée avec son père en Angleterre, il avait gardé cette faculté précieuse de s'exprimer en anglais comme un vrai Britannique. Ainsi était-il parfaitement bilingue : il pouvait passer pour un Italien en Italie comme pour un Anglais en Angleterre.

Olympia lui tendit la main :

— Eh bien, monsieur Cayman…

— Vous pouvez m'appeler Jack.

— Mais vous, appelez-moi Mlle Lincoln, je vous prie, rétorqua-t-elle fermement, sentant visiblement qu'il était temps de reprendre la situation en main.

— Bien, mademoiselle, marmonna docilement Primo.

— Et maintenant, assez traîné. Plus vite nous nous mettrons au travail, mieux ce sera.

— Pouvez-vous m'accorder une petite minute ? demanda-t-il précipitamment. Je n'en ai pas pour longtemps.

— Bien sûr. C'est à droite, au bout du couloir.

Il lui fallut quelques instants pour réaliser qu'elle lui indiquait la direction des toilettes.

*
* *

Toute sa vie, Cedric Tandy était arrivé au bureau avec une demi-heure d'avance, et la malchance avait voulu qu'en ce jour important entre tous, il arrive avec une demi-heure de retard.

— Oh non ! gémit-il en découvrant l'homme qui l'attendait. *Signor* Rinucci, je vous assure que…

— Ce n'est pas grave, mon cher, rétorqua aimablement Primo Rinucci. Je voulais seulement bavarder un petit moment avec vous.

— Ensuite, nous ferons la tournée des locaux, et je vous présenterai au personnel.

— Rien ne presse. Je désire d'abord aborder un point avec vous : j'ai regardé de près le dédommagement financier que nous avions prévu pour votre départ à la retraite, Enrico et moi, et il m'a semblé que nous n'avons pas été très généreux. Vous méritez une prime plus importante, après tant d'années de bons et loyaux services.

— Oh. Voilà qui est très agréable à entendre ! Mais M. Leonate m'avait assuré que vous ne pouviez pas m'offrir plus…

— Laissez-moi faire, coupa son interlocuteur avec un ample geste de la main. Si Enrico Leonate ne me suit pas, je financerai cette prime moi-même.

Sur ces mots, il se dirigea vers la porte, et juste avant de l'ouvrir, se retourna vers Cedric qui le regardait bouche bée.

— Ah, encore une chose, mon ami, reprit-il comme s'il s'agissait d'un détail insignifiant. Pour l'instant, j'aimerais qu'on ne sache pas qui je suis. Je me suis fait appeler Jack Cayman. Ce sera plus facile pour faire la connaissance du personnel d'une façon plus… disons, plus naturelle. Je sais que vous ne me trahirez pas.

Cedric n'était peut-être pas un génie en matière de gestion d'entreprise, mais il ne manquait pas de perspicacité et savait où était son intérêt. Primo Rinucci achetait son silence et sa complicité ? Pourquoi pas ?

— Comptez sur moi, Jack, répliqua-t-il sans hésiter.

Olympia Lincoln travaillait à l'ordinateur quand Primo entra dans son bureau.

— Lisez attentivement le contenu de ces dossiers, lui ordonna-t-elle, indiquant des chemises sur sa table. Vous y apprendrez les liens de collaboration et de complémentarité que Curtis et Leonate entretiennent depuis un an.

— Quinze mois, voulez-vous dire, la reprit-il doucement. Les deux entreprises ont commencé à travailler ensemble quand Leonate a sous-traité à Curtis la fabrication des nouveaux logiciels.

— Bravo, s'exclama Olympia. Vous avez déjà étudié la question.

Se levant pour lui indiquer un ordinateur sur une table à côté de son bureau, elle poursuivit :

— Voilà votre poste de travail. Etes-vous familiarisé avec ce type d'ordinateur ? Le siège de Naples nous l'a imposé récemment pour que nous soyons en réseau, mais franchement l'ancien système était beaucoup plus simple.

— Vous le pensez vraiment, ou vous détestez seulement vos nouveaux patrons ? demanda Primo avec un sourire amusé.

— Je ne peux pas me permettre de les détester.

— Mais si vous le pouviez, vous ne vous gêneriez pas, n'est-ce pas ?

— Je préfère ne pas répondre, répliqua la jeune femme avec hauteur. Laissez-moi vous expliquer comment fonctionne notre entreprise.

Elle le fit avec une précision et une clarté d'esprit qui l'impressionnèrent. Il essaya de lui poser des colles, elle les déjoua sans se démonter : elle connaissait dans le détail les relations entre Curtis et Leonate, avait toujours à l'esprit les exemples les mieux adaptés et savait par cœur tous les chiffres.

Outre l'admiration qu'Olympia commençait à lui inspirer, Primo devait aussi admettre que son parfum devenait perturbant pour sa concentration d'esprit. Une odeur subtile et mystérieuse, si légère que par moments il avait l'impression de ne plus la sentir, de sorte qu'il inspirait plus profondément pour tenter de la retrouver… Une odeur qui le taquinait et l'excitait, comme ce moment de l'année où l'hiver commence à laisser poindre le printemps, quand le beau temps joue à cache-cache avec la grisaille et le froid…

La sonnerie du téléphone retentit, le tirant de ces curieuses pensées.

Olympia décrocha tout de suite.

— Sara ? Qu'a dit le médecin ?

Une voix féminine retentit dans l'appareil.

— Il m'a fait hospitaliser avec ordre de rester couchée pour l'instant. Navrée, Olympia, mais je ne pourrai pas revenir travailler.

— Surtout ne vous inquiétez de rien, Sara. Pensez à votre bébé, lui seul compte.

Après quelques mots d'encouragement, la jeune femme raccrocha d'un air songeur.

— L'absence de votre secrétaire sera longue, c'est cela ? demanda Primo.

— J'en ai peur, et donc…

Olympia n'alla pas plus loin. Une jeune femme venait d'apparaître dans l'encadrement de la porte.

— Mademoiselle Lincoln ? Je suis désolée de n'avoir pu arriver plus vite…

— Comment cela, plus vite ?

— C'est l'agence d'intérim qui m'envoie. Je suis la secrétaire remplaçante.

— Mais…

Interloquée, Olympia porta un rapide regard sur Primo qui étouffa un toussotement gêné. Alors, s'adressant à la nouvelle venue, elle la pria d'attendre un moment dans le couloir.

Une fois seule avec Primo, elle se plaça bien en face de lui pour le regarder droit dans les yeux.

— Je crois que vous me devez certaines explications, déclara-t-elle d'un ton dur. Et d'abord qui êtes-vous ?

— Jack Cayman, je vous l'ai dit.

— Et qui est au juste Jack Cayman ? Pourquoi s'est-il fait passer pour un assistant intérimaire quand il ne l'était pas ?

— Soyez honnête, je n'ai jamais dit que je l'étais. C'est vous qui l'avez cru un peu hâtivement.

— Mais vous n'avez rien fait pour me détromper.

— Vous ne m'en avez pas laissé l'occasion. Vous avez décrété que je devais faire ceci et cela, que j'étais à vos ordres et que je devais dire : « Oui, mademoiselle Lincoln, bien, mademoiselle Lincoln. »

Il exagérait bien sûr, mais il était acculé, et tout valait mieux que d'avouer la vérité. Pourtant, c'était peut-être sa dernière chance de repartir sur de nouvelles bases, plus saines, celles-là…

Il prit une inspiration, mais avant même qu'il ait proféré une parole, une voix retentit depuis la porte, scellant ainsi le destin.

— Jack, cher ami, quel plaisir de vous avoir parmi nous !

C'était Tandy qui jouait son rôle, tout sourire.

Intérieurement Primo écumait tandis que l'intéressé poursuivait tranquillement :

— Ainsi vous avez fait la connaissance d'Olympia ?

— Certes, rétorqua la jeune femme, le visage de marbre, mais nous ne savons pas très bien encore qui est quoi.

— Je n'ai pas eu le temps d'expliquer à Mlle Lincoln mon rôle ici ni d'où je viens, déclara alors Primo, portant sur Cedric un regard menaçant destiné à le faire taire. Il est vrai que ma position n'est pas facile à définir, ajouta-t-il, reportant son attention sur la jeune femme. Disons que je suis une sorte d'ambassadeur : quelqu'un envoyé par Leonate pour préparer le terrain.

— C'est pour préparer le terrain que vous êtes entré dans mon bureau sans vous présenter ? demanda Olympia avec une ironie cinglante.

— Votre excellente réputation est parvenue jusqu'à Naples,

expliqua Primo, et maintenant que je l'ai constatée en personne, je vais pouvoir m'en remettre à vous sur bien des plans et vous confier de nouvelles responsabilités. Si nous déjeunions ensemble tous les trois, pour en parler ?

— Bonne idée ! s'exclama Cedric.

Olympia, sans se départir de son air hautain, rétorqua, glaciale :

— Merci, mais je préfère déjeuner d'une pomme dans mon bureau. J'ai une nouvelle assistante que je dois mettre au courant.

Visiblement effaré par la façon cavalière dont la jeune femme traitait un homme qui détenait tous les pouvoirs sur Curtis et ses employés, Cedric marmonna hâtivement :

— Olympia, croyez-vous que…

Mais Primo s'interposa avec aisance.

— Je respecte votre décision, Olympia, ce sera pour une autre fois. Cedric, allons discuter dans votre bureau, voulez-vous ?

Une fois seule, Olympia faillit s'effondrer. Elle avait gâché toutes ses chances ! Et par la faute de ce maudit Jack Cayman ! Ah, elle lui aurait volontiers écrasé la tête contre le mur !

Avant de rentrer chez elle ce soir-là, elle passa dans le bureau de Cedric qui l'informa que l'envoyé des repreneurs était parti depuis une heure à peu près.

Il n'avait pas cherché à la revoir.

Tant mieux, se dit-elle avec animosité. Mais d'un autre côté, c'était bien la preuve qu'elle avait fortement compromis ses chances. Cette pensée lui fit serrer les dents tandis qu'elle descendait récupérer sa voiture au parking de la société.

C'était un joli cabriolet tout neuf qu'elle s'était offert quelques mois plus tôt, et dont la vue la remplissait généralement de satisfaction. Mais ce soir, pour une obscure raison, en la retrouvant, elle n'éprouva rien de sa joie habituelle. Elle était trop préoccupée, son calme apparent masquait une colère sourde. Colère contre l'imposteur qui s'était joué d'elle, certes, mais d'abord et surtout colère contre elle-même.

Dire qu'elle avait si soigneusement mis au point sa stratégie !

Elle avait tout prévu pour manipuler Primo Rinucci dès son arrivée chez Curtis, de sorte à obtenir l'avancement qu'elle espérait au départ de Cedric… A présent ses rêves de carrière étaient fortement compromis, puisqu'elle avait révélé les sentiments que lui inspiraient les repreneurs à un émissaire qui ne manquerait pas de les leur rapporter. Bravo ! Bien joué !

A peine était-elle sortie du parking qu'elle s'aperçut qu'une autre voiture en était sortie à sa suite et la suivait. Elle freina puis accéléra, obliqua à droite puis à gauche. Visiblement, le véhicule la suivait toujours. Exaspérée, elle se laissa rattraper, et quand le suiveur fut assez près, elle discerna ses traits dans son rétroviseur.

Jack Cayman. Encore lui !

Deux pulsions opposées fusèrent en elle. La première dictée par la sagesse : cet homme était un envoyé du siège de Leonate, elle devait être aimable avec lui afin de regagner le terrain bêtement perdu.

L'autre, plus viscérale : freiner brutalement et sortir dire son fait à cet individu.

En personne raisonnable, elle choisit la voie du compromis. Dès que ce fut possible, elle se gara au bord du trottoir, sortit de voiture et attendit.

Son suiveur fit de même.

— Vous me suiviez ? demanda-t-elle de but en blanc.

— Oui, reconnut-il. Je voulais vous intercepter dans le parking, mais je vous ai manquée. J'aimerais que nous parlions.

— Il eût été plus simple d'organiser un entretien au bureau.

— Et risquer de me faire rembarrer ? Mon ego est trop fragile pour le supporter deux fois de suite dans la même journée.

— Votre ego n'est pas fragile du tout, riposta-t-elle avec force.

26

Quant à parler, nous l'avons fait ce matin et je le regrette bien ! Vous vous êtes moqué de moi de façon honteuse, et…

— De façon idiote, pas honteuse, la coupa-t-il. J'ai été stupide, c'est une plaisanterie qui est allée trop loin, mais vous m'aviez si rondement pris pour votre nouvel assistant que… Il ne faut pas trop m'en vouloir de ne pas vous avoir détrompée.

— Si ! Ce n'est pas un comportement professionnel.

— Vous trouvez professionnel de ne pas avoir vérifié qui j'étais ? rétorqua son interlocuteur, piqué. Maintenant nous sommes quittes, et je ne veux surtout pas que nous soyons ennemis, vous et moi.

— Nous le sommes depuis votre sinistre plaisanterie, et surtout depuis que vous m'avez entraînée à dire des choses qui…

Olympia frissonna au souvenir de ses propos imprudents.

— Je ne vous ai pas obligée à révéler ce que vous pensiez de Primo Rinucci, fit doucement valoir son interlocuteur. La vérité, c'est que vous rêviez de dire à quelqu'un combien vous le méprisez.

C'était exact, mais cela n'améliora ni son humeur ni son moral.

— En tout cas, c'est à vous que je l'ai dit, de sorte que j'ai gâché toutes mes chances avec mes nouveaux employeurs. Parce que, même si vous ne le leur répétez pas tout de suite, il faudra bien que vous les mettiez en garde un jour. Sinon, c'est vous qui risquez de perdre votre job.

— Ne vous inquiétez pas pour moi, rétorqua Cayman avec hauteur. J'ai pour habitude de réfléchir avant de parler, et jusqu'ici cela m'a sauvé de bien des ennuis. Je m'étonne qu'une femme ambitieuse comme vous soit aussi imprudente dans ses propos.

— Je ne pouvais pas deviner que…

— Ecoutez, cessons cette discussion, la coupa son compagnon. Oubliez ce que je viens de dire. Je suis fatigué, le décalage horaire me…

— *Quel* décalage horaire ? Il n'y en a pas entre Naples et l'Angleterre.

— C'est vrai, admit-il, mais l'avion a décollé avec beaucoup de retard : il était plus de minuit quand nous avons quitté Naples, et je n'ai pratiquement pas fermé l'œil de la nuit. Alors par pitié, ne nous disputons plus et laissez-moi vous inviter à dîner.

Mais Olympia ne l'entendait pas de cette oreille, et c'est d'un ton cinglant qu'elle riposta.

— Il n'en est pas question, monsieur Cayman ! Vous comprendrez qu'après cette journée éprouvante j'aie envie de rentrer chez moi. Je vous conseille de rebrousser chemin et de regagner votre hôtel où vous pourrez en toute tranquillité rédiger votre rapport sur le personnel que vous avez rencontré chez Curtis. Et surtout, n'omettez aucun détail.

2.

Sans attendre de réponse, la jeune femme remonta en voiture et démarra avec une brutalité qui fit dangereusement crisser les pneus.

De son côté, Primo regagna son véhicule de location en soupirant.

Ce qui survint ensuite demeurerait à jamais inexplicable pour lui, sauf à supposer que, la fatigue aidant, il ait soudain oublié qu'en Angleterre on conduit à gauche et non à droite comme en Italie. Dans la journée, il ne se serait certainement pas trompé, mais en pleine nuit, avec la clarté aveuglante des phares qui surgissaient à tout instant, peut-être reprit-il soudain ses anciens réflexes. Quoi qu'il en soit, il lança la voiture sur le côté gauche de la route.

Il y eut un horrible crissement de métal, et avant qu'il ait pu comprendre ce qui lui arrivait, il éprouva une douleur violente à la tête en même temps qu'il était projeté en avant.

Heureusement, la ceinture de sécurité l'avait retenu ! Avec le peu de lucidité qu'il lui restait, il marmonna un juron.

L'instant d'après Olympia se matérialisait devant sa vitre et ouvrait sa portière.

— Bravo ! lança-t-elle, furieuse. Il ne me manquait qu'un chauffard pour emboutir ma voiture toute neuve ! Mais… Vous êtes blessé ?

— Non, non, ça va, mentit Primo, clignant des yeux en un vain effort pour se clarifier les idées.

— On ne le dirait pas. Dites plutôt que vous avez vu trente-six chandelles ! Oh mon Dieu, vous avez le front en sang !

— Je dois avoir une petite éraflure, rien de plus. Mais vous ? Vous n'êtes pas blessée ?

— Non, assura la jeune femme, je n'ai pas une égratignure. C'est la voiture qui a tout pris.

Tant bien que mal, Primo réussit à sortir du véhicule et, en se mouvant très lentement car sa tête tournait dangereusement, il essaya de mesurer l'ampleur des dégâts.

A l'évidence, il avait percuté la jolie voiture d'Olympia, pas l'inverse. Il se trouvait dans son tort, et cela lui déplaisait fortement.

— Je suis navré, marmonna-t-il.

— On verra cela après, rétorqua vivement la jeune femme. Pour l'instant, je vous emmène à l'hôpital.

— Pas question ! J'ai juste un petit coup à la tête, je m'en remettrai.

— Mais…

Se mordant les lèvres, Olympia s'approcha de lui pour examiner son front avant de concéder :

— D'accord, pas d'hôpital. Mais pas question non plus de vous laisser seul ce soir. Je vous emmène chez moi.

Voyant Primo porter les yeux sur sa voiture, elle poursuivit dans la foulée :

— Non, vous ne reprendrez pas le volant. Laissons votre voiture ici, vous la ferez récupérer plus tard. Pour l'instant, c'est moi qui conduis.

Primo se sentait beaucoup moins bien qu'il ne voulait le laisser paraître. Il ne discuta pas et regarda la jeune femme faire tant bien que mal redémarrer le véhicule de location pour le garer contre le trottoir. Après quoi, elle le ferma et lui tendit la clé.

— J'appellerai la société de location demain, déclara-t-il. Ils seront sûrement ravis !

Dix minutes plus tard, ils arrivaient devant un bel immeuble.

L'appartement d'Olympia se trouvait au second étage. Malgré sa fatigue, Primo ne manqua pas de noter que, sans être très luxueux, il était élégant et tout y était de bon goût.

— Installez-vous, lui intima la jeune femme en lui indiquant un fauteuil. J'aimerais examiner de plus près votre front.

Primo ne voulait pas l'admettre, mais il souffrait. Avant de s'asseoir, il se regarda dans la glace au-dessus de la cheminée et découvrit son front tuméfié et couvert de sang.

— La plaie n'est pas très profonde et je ne crois pas qu'il soit nécessaire de la recoudre, déclara Olympia après une rapide inspection. Avant tout, je vous prépare un bon café.

Une fois assis, Primo ferma les yeux, étourdi de fatigue. Quelque part dans la maison, il crut entendre son hôtesse parler mais n'y prêta pas attention, et quand il ouvrit les paupières, elle était à côté de lui et lui tendait une tasse de café.

— Merci, c'est gentil, murmura-t-il d'une voix très lasse. Dès que je me sentirai mieux, j'appellerai un taxi pour me reconduire à mon hôtel. Je suis vraiment désolé d'avoir abîmé votre voiture, je paierai la réparation.

— Ne vous inquiétez pas, je suis assurée tous risques.

— Peu importe, insista Primo, entrevoyant comme dans un cauchemar une déclaration à l'assurance avec l'obligation de décliner sa véritable identité. Il ne faudrait pas que vous perdiez votre bonus. En outre, j'aimerais que cette mésaventure ne s'ébruite pas trop.

— Vous avez peur qu'on se moque de vous ? le taquina la jeune femme.

— Un peu, admit-il, penaud.

Le café se révéla excellent, même selon les critères italiens de Primo. Il en buvait la dernière gorgée quand on frappa à la porte.

Olympia partit ouvrir et revint dans le salon avec un homme grisonnant.

— Voici le docteur Kenton, annonça-t-elle, je l'ai appelé à notre arrivée.

31

— Mais je vous ai dit que j'allais très bien ! s'insurgea Primo.

Le médecin s'interposa :

— Laissez-moi m'en assurer, voulez-vous ?

Il examina son front avec attention, sortit une petite lampe pour regarder le fond de ses yeux, et seulement alors déclara :

— Vous avez subi un choc léger, rien de sérieux, mais il vous faut du repos. Après une bonne nuit de sommeil, vous devriez vous sentir mieux.

Primo s'adressa à Olympia.

— Je vais rentrer tout de suite.

— Y a-t-il quelqu'un chez vous pour veiller sur vous ? interrogea le médecin.

— Bien sûr que non, intervint Olympia. Il est à l'hôtel. C'est bien pourquoi je l'ai ramené ici.

— Alors il serait mieux qu'il reste là pour la nuit.

— Non, tenta de protester Primo.

Mais Olympia tint bon.

— Pas question que vous bougiez d'ici.

— C'est préférable en effet, opina le médecin. Puis il les regarda alternativement avant d'ajouter :

— Je suppose que, tous les deux, vous êtes…

— Nous sommes deux ennemis jurés, le coupa Olympia. Mais n'ayez crainte, docteur, je ne compte pas l'assassiner. J'ai trop de plaisir à me disputer avec lui.

Le médecin lui adressa un sourire complice avant de sortir un médicament de sa serviette.

— Donnez-lui deux de ces comprimés. Qu'il se couche et dorme aussi longtemps qu'il le voudra, déclara-t-il.

Une fois le médecin parti, Primo eut un petit sourire désabusé.

— Même si je l'avais cherché, je n'aurais pas réussi à me fourrer dans un pétrin pareil.

Olympia sourit à son tour, amusée.

— En effet, et figurez-vous que je n'en suis pas si mécontente.

Malgré sa fatigue, il réussit à rire.

— Je m'en doute : on se sent toujours mieux quand l'ennemi est en position de faiblesse. Et vous l'avez dit vous-même, nous sommes ennemis jurés, n'est-ce pas ?

— Nous en reparlerons, rétorqua-t-elle, riant à son tour. Pour l'instant, je file au supermarché d'à côté acheter deux ou trois choses qui me manquent. Je ferai votre lit à mon retour. Si vous essayez de me fausser compagnie pendant mon absence, vous aurez de mes nouvelles !

— Partez tranquille, soupira Primo. Même si je le voulais, je ne pourrais pas m'en aller tellement je suis épuisé.

A la supérette, Olympia chercha d'abord du linge de rechange pour son invité. Choisir la taille ne lui posa pas de problème : Jack Cayman était grand, mince, musclé et sans une once de graisse ; bref, exactement le type d'homme qui lui plaisait. Son subconscient avait tout noté…

Elle chercha aussi un pyjama, mais dut se contenter d'un T-shirt assorti d'un boxer-short. Après quoi elle s'arrêta au rayon parfumerie pour trouver de la crème à raser et un rasoir ainsi qu'une lotion. Enfin, elle prit au rayon alimentation de quoi préparer un petit déjeuner consistant puis paya le tout en hâte, angoissée à l'idée de retrouver la maison vide malgré ses objurgations.

Elle découvrit Cayman allongé sur le canapé du salon, les yeux fermés. Sans le déranger, elle s'en fut changer les draps de son lit.

Comment s'était-elle mise dans une situation pareille ? se demanda-t-elle soudain. Elle donnait sa chambre à un homme qui, il y avait moins d'une heure, lui inspirait des pensées meurtrières !

Quand elle regagna le salon, son hôte, réveillé, promena autour de lui un regard vague.

— Le lit est prêt, annonça-t-elle.

— Je n'ai rien à me mettre pour la nuit, je le crains.

— Vous trouverez ce qu'il vous faut sur le lit. J'ai pris ce que j'ai trouvé au supermarché.

— Merci de toutes vos attentions.

Malgré sa tête visiblement douloureuse, il réussit à se rendre dans la chambre tout seul. Mais réussirait-il à se changer et à faire sa toilette ? Elle en doutait.

Bah, elle avait fait tout ce qu'elle pouvait !

Elle passa la nuit sur le canapé du salon et se réveilla très tôt.

Un silence profond régnait dans la maison, mais un rai de lumière sous la porte de la chambre indiquait que la lampe de chevet était allumée.

Fronçant les sourcils, elle se leva, et après avoir hésité un bref instant, ouvrit sans bruit la porte pour risquer un coup d'œil dans la pièce.

Les vêtements de Jack gisaient éparpillés sur le sol comme s'il avait à peine eu la force de s'en débarrasser avant que le sommeil ne le terrasse. Il avait passé le boxer-short, mais le T-shirt traînait à côté de lui sur le lit où il était étendu sur le dos, les bras en croix, la tête légèrement tournée sur le côté.

Tout d'abord elle eut peur qu'il soit sans connaissance après le choc qu'il avait subi. Mais non, il respirait lentement, paisiblement, abandonné.

Dieu qu'il était beau !

Elle laissa son regard s'attarder quelques instants sur son torse puissant, lisse et bronzé, puis sur ses longues jambes musclées couvertes d'épais poils sombres…

La correction voulait qu'elle se retire. Mais pas avant d'avoir éteint la lampe.

Sans faire de bruit, elle se glissa sur le côté du lit pour atteindre l'interrupteur.

L'obscurité soudaine parut déranger le dormeur, qui roula sur le flanc en marmonnant puis lança un bras en avant d'un mouvement brusque. Il effleura la cuisse d'Olympia, et sa main se referma mollement sur son poignet.

Elle s'immobilisa, pétrifiée, ne voulant surtout pas le réveiller. Elle voulut détacher ses doigts pour se libérer, et son cœur s'accéléra lorsque le dormeur, toujours inconscient, les resserra comme pour ne pas la laisser partir.

Retenant son souffle, Olympia s'agenouilla et de sa main libre, réussit à dénouer les doigts. A la lumière pâle de l'aube qui s'infiltrait par la fenêtre, elle vit alors le visage de l'homme endormi tout près du sien, sa bouche ferme et sensuelle, ses beaux traits bien dessinés, son souffle tiède, doux… Elle en fut bouleversée.

Avec une inspiration rapide, elle se redressa et quitta vite la chambre sans un regard en arrière, honteuse de son émoi.

Quand Primo se réveilla, il n'avait plus mal à la tête et se sentait tout à fait bien.

A dire vrai, il avait l'impression d'être plus en forme qu'il ne l'avait été depuis bien longtemps. L'étonnante jeune femme qui venait de faire irruption dans sa vie n'y était certainement pas étrangère…

Le jour se levait à peine, de sorte qu'il décida de rester encore un moment au lit. Il n'avait pas éprouvé ce sentiment de bien-être et de sécurité depuis son enfance.

Une enfance hélas mouvementée. Il avait à peine connu sa mère, Elsa Rinucci, morte deux ans après sa naissance. En revanche, il se souvenait d'avoir assisté à l'âge de quatre ans au mariage de son père, quand ce dernier avait épousé une toute jeune femme prénommée Hope.

Il avait adoré sa belle-mère, reportant sur elle tout l'amour qu'il n'avait pu donner à sa vraie mère. Mais hélas, il devait vite découvrir que rien n'est jamais acquis, qu'il faut toujours partager, c'est-à-dire partiellement renoncer… Après deux ans de mariage sans concevoir, Hope et son père avaient adopté Luke, d'un an plus jeune que lui et que tout le monde trouvait adorable. Ils se tiendraient compagnie et deviendraient les meilleurs amis du monde, pensait-on. D'une certaine manière, certes, Luke et lui avaient fait alliance contre le monde extérieur… Quand ils ne se disputaient pas ! Car fondamentalement, ce qui les liait était une rivalité viscérale.

Et puis, à l'âge de neuf ans, il avait connu son plus grand chagrin : le divorce de Hope et de Jack. Hope était partie avec Luke, laissant Primo à son père. Pour la seconde fois, sa mère l'abandonnait. Il était donc resté avec son père jusqu'à la mort de celui-ci, deux ans plus tard. Après quoi les Rinucci, la famille de sa vraie mère, l'avaient recueilli à Naples. Mais, pour son plus grand bonheur, Hope l'avait appris et était venue le chercher. C'est ainsi qu'elle avait connu Toni Rinucci, le frère de sa mère, et qu'elle l'avait épousé. Il avait alors pris le nom de Rinucci et se considérait depuis cette époque comme un Napolitain.

Mais il ne fallait surtout pas que cette femme merveilleuse qui l'avait hébergé l'apprenne ! Pour elle, il devait reprendre son identité britannique.

Un coup d'œil à sa montre lui apprit qu'il était presque 8 heures, et il décida de se lever. Après avoir enfilé son pantalon, il entrouvrit la porte de la chambre.

Son hôtesse se tenait devant la fenêtre du salon.

Sur le coup, il eut du mal à la reconnaître : avec ses longs cheveux sombres retombant librement sur ses épaules, elle était si différente de la jeune femme sévère dont il avait fait la connaissance la veille ! Dans la lumière encore pâle de ce matin d'hiver, elle semblait une créature pleine de mystère, presque irréelle.

« *Una strega* », songea-t-il, utilisant spontanément le mot italien signifiant ensorceleuse. Les légendes italiennes étaient pleines de créatures semblables, dont la beauté jouait sur les hommes à la manière d'un charme qui les enchaînait à jamais…

Il se reprit, mécontent. Ce n'était pas le moment de se laisser aller à pareilles divagations !

36

Promenant son regard dans la pièce, il vit sur le canapé des couvertures et un oreiller. Son hôtesse y avait dormi parce que lui avait occupé son lit ! Hier soir, il était trop sonné pour le réaliser.

Eh bien, il était temps de la remercier en bonne et due forme !

Il enfila sa chemise et se chaussa en faisant du bruit dans la chambre pour l'avertir qu'il était réveillé, et quand il rouvrit la porte, oreiller et couvertures avaient disparu du canapé.

Olympia apparut sur le seuil de la cuisine, souriante. Elle portait maintenant un pantalon et un chandail, et ses cheveux étaient retenus en arrière par un foulard de couleur vive.

— Bonjour, lança-t-elle avec un entrain un peu forcé. Comment vous sentez-vous, ce matin ?

— Beaucoup mieux grâce à cette bonne nuit de sommeil. Je vous remercie pour tout, et d'abord pour m'avoir obligé à rester. Vous aviez raison, à l'hôtel, bien qu'il y ait du monde, on se sent complètement seul.

— Vous auriez pu demander qu'on vous appelle un médecin, répliqua la jeune femme comme si elle se parlait à elle-même, mais je suis sûr que vous ne l'auriez pas fait. Les hommes ne sont jamais raisonnables, ajouta-t-elle avec un sourire.

— D'habitude, je le suis, fit valoir Primo, et d'après ma mère, je le suis même trop. Elle me cherche en permanence des épouses, et cela ne marche jamais parce que, comme je suis trop raisonnable, je les fais fuir. Un jour je lui ai dit que quand je serais prêt à me marier, je me trouverais une femme aussi raisonnable que moi. De sorte qu'aucun des deux ne se rendra compte que l'autre est mortellement ennuyeux.

Olympia éclata de rire. Puis, comme si elle jugeait soudain cette innocente hilarité inconvenante, elle se rembrunit et lui indiqua une porte.

— La salle de bains est là, vous pouvez la prendre.

Un moment après, en utilisant la crème à raser puis la lotion qu'elle lui avait achetées, Primo dut admettre que ses choix en la matière étaient parfaits. Son hôtesse était une personne extrêmement organisée, qui ne laissait rien au hasard.

Mais ce n'était qu'un aspect de sa personnalité. Il se rappelait combien elle pouvait être impulsive dans ses propos, comme elle l'avait montré la veille. Elle avait certainement un côté passionné, et c'était ce côté-là qu'il avait le plus envie de connaître.

Quand il revint dans le salon, elle n'y était pas.

Promenant son regard autour de lui, il fut soudain frappé par une évidence : comme sa propriétaire, l'appartement était parfaitement ordonné, organisé, au point d'en paraître dépersonnalisé. Elle l'avait fait à l'image de ce qu'elle voulait projeter d'elle-même.

Mais qui était en réalité Olivia Lincoln ? Quels étaient ses rêves, ses désirs ? Rien ici ne permettait de l'imaginer. Primo ne trouva qu'un indice de sa vie personnelle : une photographie d'un couple d'un certain âge se tenant tendrement par le cou et fixant l'objectif avec un sourire heureux. La femme ressemblait un peu à Olympia. Ses grands-parents ?

La jeune femme sortit de la cuisine avec une théière.

— Tenez, servez-vous, proposa-t-elle, indiquant la table où le couvert du petit déjeuner était dressé. J'espère que vous avez faim.

— Mon estomac crie famine, assura-t-il.

A cet instant, on sonna à la porte.

— Allez voir qui c'est, voulez-vous, demanda Olympia, je finis de préparer le petit déjeuner.

Primo découvrit sur le palier un jeune garçon en uniforme de portier tenant un gigantesque bouquet de roses rouges et des lettres.

— On vient de livrer cela pour Mlle Lincoln. Comme tous les ans, beaucoup de gens pensent à elle pour la Saint-Valentin, ajouta-t-il avec un clin d'œil.

— Merci, je vais lui remettre tout ça.

Une fois la porte refermée, Primo jaugea les fleurs : des roses splendides et divinement parfumées, venant certainement d'un grand fleuriste. Une carte y était attachée, et il réussit à la lire : « Pour celle, unique et merveilleuse, qui a métamorphosé le monde. » Aucune signature ne suivait.

Comme il regagnait le salon, Olympia sortit de la cuisine.

— Vous avez beaucoup de succès, dirait-on, déclara-t-il en lui tendant les fleurs.

L'expression qui apparut sur le visage de la jeune femme le stupéfia. Olympia était brusquement transfigurée, souriant d'un sourire attendri qui exprimait tout l'amour et tout le bonheur du monde.

— Qui vous envoie ces fleurs ? ne put-il s'empêcher de demander.

— La carte qui les accompagne n'est pas signée ? demanda-t-elle avec un petit rire.

— Non.

— Dans ce cas, si la personne veut garder son identité secrète, pourquoi la révélerais-je ?

Olympia prit les lettres qu'elle posa sur la console.

— Vous ne les ouvrez donc pas ? s'étonna Primo.

— Pour quoi faire ? Elles ne sont sûrement pas signées non plus. Et maintenant, venez manger.

Tandis que Primo dégustait son pamplemousse puis ses céréales, Olympia prit le temps de mettre les fleurs dans l'eau, mais à aucun moment elle ne fit mine de lire les cartes, de sorte qu'il en vint à se demander si son détachement était réel ou simulé. Les admirateurs qui se rappelaient à son souvenir en ce jour de Saint-Valentin lui étaient-ils tous indifférents, ou bien était-ce une nouvelle facette de sa personnalité ?

De toute façon, elle était une ensorceleuse, se rappela-t-il. Une *strega magica* qui se métamorphosait sous ses yeux pour mieux le mystifier et le maintenir prisonnier de ses charmes.

3.

En se servant sa troisième tasse de thé, Primo déclara :

— Vu la façon dont j'ai massacré votre voiture, vous auriez eu tous les droits de m'abandonner à mon triste sort.

— En effet, et je me demande encore pourquoi je ne l'ai pas fait.

— Peut-être parce que vous êtes un être charitable.

Olympia fit mine de considérer sérieusement l'hypothèse avant de secouer la tête.

— Non, ça ne me ressemble pas. Il doit y avoir une autre raison.

— Alors vous avez préféré me garder sous la main pour mieux exercer vos représailles.

— Voilà qui est plus vraisemblable ! s'exclama la jeune femme. Maintenant, expliquez-moi comment s'est produit ce stupide accident ?

— Je suppose que j'ai tout à coup oublié que les Anglais conduisent à gauche. Ce doit être aussi bête que ça.

— Vous êtes vraiment très italianisé pour un Britannique. Vous passez le plus clair de votre temps en Italie ?

— Je voyage pas mal, mais c'est là que je réside en effet.

— Parce que vous travaillez chez Leonate, bien sûr ?

Primo se contenta de marmonner une affirmation inintelligible, et Olympia embraya sans attendre :

— Là-bas, on attend votre rapport, n'est-ce pas ?

— En effet. Je dois rendre compte de ce que j'ai vu et constaté, mais pour ménager ma dignité, je ne mentionnerai pas les événements d'hier. Je n'essayais pas de vous piéger, je le jure, j'ai seulement suivi l'impulsion du moment. Mon sens de l'humour est très personnel.

— Moi, je n'en ai aucun, affirma Olympia implacablement.

— Voilà un élément que je n'omettrai pas dans mon rapport, s'exclama-t-il en riant, et il déclama lentement comme s'il dictait à une secrétaire : « Aucun sens de l'humour… »

Il fit ensuite mine de réfléchir avant d'ajouter sur le même ton :

— « Pour vérifier au plus vite, suggérer une invitation à dîner, puis se rétracter et constater réaction. »

— Partez immédiatement, décréta aussitôt la jeune femme, pince-sans-rire.

— Vous parlez sérieusement ?

— Pas vraiment. Finissez votre petit déjeuner d'abord. On verra si j'ai changé d'avis après.

— Et que dites-vous de mon invitation à dîner ? Je me rétracte ou je réserve une table à l'hôtel Atelli ?

La mention du dernier endroit à la mode de la capitale anglaise parut impressionner favorablement Olympia.

— La seconde option me paraît excellente. A une condition : que vous vous sentiez assez bien pour dîner dehors !

— Je suis en pleine forme, vous n'avez plus à vous inquiéter pour moi. Ce matin, nous allons régler les problèmes des voitures. Il faut emmener la vôtre chez un carrossier.

— J'en connais un non loin d'ici. Vous tenez toujours à payer la réparation ?

— Je serai intraitable sur ce point, déclara Primo, et maintenant, allez-vous vous décider à ouvrir vos cartes de la Saint-Valentin ?

Il s'était juré de ne pas le lui demander, mais cette ensorceleuse avait le don d'anéantir sa volonté.

— Pourquoi pas ? répliqua la jeune femme avec une nonchalance étudiée.

La première enveloppe contenait une carte où figurait un cœur rouge entouré de simili dentelle, et quelqu'un avait écrit à la main : « Jamais je n'oublierai, et toi ? »

Les deux autres révélèrent des cartes assez similaires représentant de jolis bouquets de fleurs, mais ni l'une ni l'autre ne portaient de message ni n'étaient signées. Pourtant, comme elle les contemplait, Olympia changea d'expression. Son sourire se fit tendre et très doux, tandis que son regard se perdait dans des contrées merveilleuses où elle seule avait accès.

— Il est clair que vous connaissez les hommes qui vous ont envoyé ces cartes, fit observer Primo un peu sèchement.

La jeune femme sursauta comme si elle émergeait d'un rêve.

— On ne peut rien vous cacher, admit-elle. Bien sûr que je connais ces personnes. Je les aime beaucoup, et elles le savent.

— La situation n'est-elle pas un peu compliquée ? Je veux dire : se connaissent-elles ?

— Evidemment, elles se connaissent ! Pour qui me prenez-vous ?

Primo commençait à n'y plus rien comprendre.

— Laquelle a envoyé les fleurs ? demanda-t-il encore.

En guise de réponse, Olympia haussa malicieusement les épaules, après quoi elle se leva pour gagner la cuisine. Mais au passage, elle s'arrêta pour humer le parfum des roses, fermant un instant les yeux comme pour mieux en apprécier la suavité.

— Je vais me préparer, dit Primo avec humeur, se levant à son tour.

Quand la porte de la chambre se fut refermée sur son invité, Olympia prit son téléphone portable pour se réfugier dans la salle de bains où elle fit couler l'eau du lavabo afin qu'il n'entende pas sa conversation. Après quoi, elle composa le numéro qu'elle connaissait par cœur.

— Papa ! s'exclama-t-elle. Oh, merci, elles sont splendides !

— Tu les as donc reçues ?

— Et les cartes aussi. Mais pourquoi en avoir envoyé deux ?

— Elles nous ont plu toutes les deux, et nous n'arrivions pas à choisir, ta mère et moi.

Elle se mit à rire doucement.

— Vous êtes les parents les plus fous du monde ! Je n'en connais pas d'autres qui souhaitent la Saint-Valentin à leur fille !

— C'est que, comme nous l'avons écrit, tu as métamorphosé le monde pour nous, ma chérie. Tu es née quand nous avions perdu tout espoir d'avoir un enfant... Je te passe ta mère qui est impatiente de te parler.

La voix joyeuse de la vieille dame retentit dans l'appareil.

— Tu es contente, ma fille chérie ?

— Oh, maman, ces roses sont magnifiques. Mais toi ? Tu as été gâtée ?

— J'ai eu les mêmes, et elles me comblent aussi.

Sa mère marqua une pause avant de reprendre d'un ton prudent :

— Ton père et moi espérons bien que, l'année prochaine, un amoureux t'en enverra aussi.

Et comme pour couper court aux protestations habituelles de sa fille quand elle abordait ce sujet, elle ajouta précipitamment :

— Je sais, tu as dit que cela n'arriverait plus jamais, mais ton père et moi espérons quand même.

Olympia éclata de rire.

— Vous perdez votre temps, tous les deux. Tu as épousé le dernier homme éligible, maman. A présent, il n'y en a plus. On a cassé le moule.

C'est alors que la malice et un rien de provocation lui firent ajouter :

— Je vous dois pourtant un aveu : il y a un homme chez moi en ce moment même.

— Un homme qui a passé la nuit chez toi, veux-tu dire ?

— Oui.

— Dans ton lit ? souffla la vieille dame dont la voix était montée d'un octave.

— Maman ! se récria Olympia, feignant un ton de reproche. A bientôt soixante-dix ans, tu devrais avoir honte de ce que tu suggères. Tu sais bien qu'on ne doit pas dormir avec un homme avant le mariage !

— Ton père et moi n'avons pas attendu d'être mariés pour le faire, et de toute façon il faut vivre avec son temps. Mais revenons à ce monsieur qui a passé la nuit chez toi…

— Il a en effet dormi dans mon lit, et moi je me suis contentée du canapé. Il s'était fait mal, et je me suis occupée de lui. Rien de plus.

— Dis-moi, il est beau garçon ?

— Cela n'a aucune importance.

— Au contraire, ma chérie, c'est capital, et réponds-moi : tu le trouves beau ?

— Euh… Oui, assez. Il doit avoir un peu plus de trente ans, il est grand et ses yeux sont… enfin… très intéressants.

— Tu ne lui as pas dit que les fleurs et les cartes de la Saint-Valentin venaient de tes parents, j'espère ?

Olympia fit entendre un petit rire.

— Allons, maman ! C'est toi qui as fait mon éducation, tout de même !

— Eh bien bravo ! Et qu'il ne s'en doute jamais. Oh, comme je suis contente. Il faut que j'en parle tout de suite à ton père. Vous avez l'intention de vous revoir ?

— Il m'a invitée à dîner ce soir.

— *Harold !* rugit sa mère, se détournant à peine de l'appareil. Devine quoi !…

En raccrochant un court moment après, Olympia était heureuse et sereine comme chaque fois qu'elle avait parlé à ses parents. Comment ces deux-là avaient traversé la vie sans apprendre à leurs dépens que l'amour était un miroir aux alouettes, elle ne le comprendrait jamais, et elle priait le ciel qu'ils ne le découvrent jamais. Quant à elle, elle n'était pas près d'oublier la dure leçon enseignée par son mariage raté. Désormais, les grands sentiments lui étaient définitivement interdits. Mais il lui restait l'ambition professionnelle et le plaisir. Ce soir, elle servirait la première et profiterait du second.

Jack Cayman était un homme charmant, d'une compagnie très agréable. Jamais un homme ne lui avait paru moins ennuyeux. Dans la douce lumière du matin, il semblait si viril, si énergique que l'appartement paraissait trop confiné pour contenir sa vitalité. Il lui faisait songer à la campagne en été, avec la chaleur intense, les couleurs vives, le bruissement incessant de la nature pleine de vie… Il n'était pas marié, il l'avait laissé entendre. Elle avait été choquée du soulagement qu'elle en avait éprouvé sur le moment. Cela ne changeait rien à la situation… N'empêche qu'elle en était follement heureuse.

Enfin, qu'il soit beau de surcroît ne gâchait rien, mais n'était pas le plus important, loin de là.

Ce qui comptait surtout, c'est qu'il était l'émissaire du siège de Leonate et connaissait certainement Primo Rinucci. Elle avait bien l'intention de lui soutirer des informations utiles pour atteindre son but, qui n'était autre que de convaincre le numéro un de Leonate qu'elle était la personne qu'il lui fallait à la tête de Curtis.

Etait-ce très honnête de se comporter ainsi avec Jack Cayman ? Peut-être pas, mais c'était la règle du jeu.

Oui, elle attendait avec impatience le dîner de ce soir.

*
**

En récupérant ses affaires dans la chambre d'Olympia, Primo se prit à avoir honte de lui. Il fallait qu'il la détrompe sur son identité, sinon tôt ou tard il se trouverait en difficulté. Ce qui n'était au départ qu'une plaisanterie risquait de mal tourner.

Eh bien, il dirait la vérité à la jeune femme ce soir au dîner dès que l'occasion s'en présenterait. Disons après le premier verre de champagne… Non ! Après le second.

C'est ainsi qu'il fit taire sa conscience. Il retourna dans le salon appeler un taxi pour le conduire là où ils avaient abandonné sa voiture de location, la veille.

— A ce soir, dit-il à son hôtesse après l'avoir remerciée de son accueil. Je passerai vous chercher, et je vous promets de me mettre sur mon trente et un, ajouta-t-il en riant.

A son grand soulagement, le véhicule de location n'avait souffert qu'extérieurement. La carrosserie était en piteux état, mais le moteur tournait normalement, et tant bien que mal il put regagner son hôtel.

Parce que Cayman avait parlé de trente et un, Olympia choisit avec soin sa tenue. Après bien des hésitations, elle finit par opter pour une robe longue en velours vert sombre, à la taille étroite, et dont la lourde étoffe plaquait joliment ses hanches. Le corsage très ajusté avait un décolleté assez profond dans le dos. Elle choisit un collier en or avec des boucles d'oreilles assorties. Une paire d'élégantes sandales dorées à hauts talons complétait l'ensemble.

Il lui fallut un temps infini pour se coiffer. Car ce soir, elle n'apparaîtrait pas comme la sévère Mlle Lincoln, mais elle ne céderait pas non plus à la mode des cheveux longs épars sur les épaules. Elle trouva un juste milieu en retenant sa lourde chevelure en arrière sans la plaquer et en la nattant. Puis elle enroula l'opulente tresse en une sorte de chignon lâche. Quand elle se regarda dans le miroir, elle dut admettre que cette coiffure adoucissait ses traits et faisait paraître son cou encore plus long et gracieux.

A son arrivée, son compagnon porta sur elle un regard admiratif, mais il ne dit rien, se contentant de sourire. Olympia le contempla à son tour : dans son costume sombre qui faisait ressortir le blanc immaculé de sa chemise, il était suprêmement beau. Et son nœud papillon ne gâchait rien, au contraire !

Dans la rue, il l'aida à monter dans une voiture toute neuve.

— La société de location a accepté de vous en donner une nouvelle ? s'étonna Olympia.

— J'ai réussi à les en convaincre. Et la vôtre ? Qu'a dit le garagiste ?

— Les dégâts sont d'après lui minimes. J'ai demandé qu'on m'envoie la facture.

— Parfait. Je ferai faire un virement à votre banque dès lundi matin.

— Inutile de vous donner ce mal. Vous n'aurez qu'à me remettre un chèque.

Après avoir vaguement murmuré quelque chose, Primo changea de sujet.

Dans la salle à manger de l'Atelli, on leur avait réservé la meilleure table. Une fois installée, Olympia ravie réprima un soupir d'aise. Comme il était agréable d'être traitée comme une reine ! Son hôte savait donner à une femme l'impression qu'elle comptait pour lui. Mieux, qu'elle était unique ! Ah, si seulement il était Primo Rinucci, se prit-elle à songer l'espace d'un instant.

Elle chassa vite cette pensée absurde. Jack Cayman n'était pas Primo Rinucci et ne le serait jamais. Néanmoins, ce soir, elle s'apprêtait à passer une délicieuse soirée en sa compagnie. Demain, il serait assez tôt pour s'attaquer aux choses sérieuses.

Le champagne arriva, et un serveur stylé apporta le caviar sans attendre. Alors Primo leva sa coupe, et Olympia l'imita.

— A notre soirée, déclara-t-il. Profitons du moment sans penser à demain.

Qu'il exprime ainsi ses propres pensées la troubla. Elle se contenta de répéter comme un écho :

— Oui, sans penser à demain.

Et ils trinquèrent solennellement.

Après avoir dégusté en silence un peu de son délicieux caviar, elle reprit la parole.

— D'où en Angleterre êtes-vous originaire ?

— Une partie de ma famille habite le nord de Londres. Mon père est mort, mais il me reste des oncles et tantes, et il se peut que j'aille leur rendre visite.

— Pourquoi avoir décidé de vivre en Italie ?

— J'y ai aussi de la famille, et je m'y sens chez moi autant qu'en Angleterre. Je préfère le climat italien, et surtout j'adore Naples.

— Naples…

Olympia avait répété le mot avec volupté.

— J'ai toujours rêvé de cette ville, ajouta-t-elle. Son nom m'évoque des images merveilleuses.

Primo eut un sourire amusé.

— Des images de ruelles sombres et de chanteurs de rue, j'imagine ? Naples n'est pas vraiment ainsi ! Mais sans doute aurez-vous bientôt l'occasion de vous en rendre compte par vous-même.

— Puissiez-vous dire vrai !

— Si vous avez l'intention de poursuivre votre carrière chez Curtis, il faudra vous familiariser avec les autres entreprises du groupe, et vous serez certainement appelée au siège de Leonate qui est à Naples. A ce propos, vous devriez vous mettre à l'italien.

— C'est déjà fait, voyons ! s'exclama la jeune femme en prenant un air offensé.

— Vous le parlez correctement ?

48

Elle lui répondit en italien, avec des mots qui n'étaient pas toujours les meilleurs, mais l'ensemble se tenait et témoignait d'un effort louable.

— Bravo, dit-il quand elle se tut, un peu hors d'haleine. Vous vous débrouillez bien, on voit que vous avez travaillé dur.

— Et comment ! Je m'y suis mise bien avant de savoir que nous serions rachetés. En fait j'ai commencé dès le début de notre collaboration avec Leonate. Je savais que nous n'en resterions pas là, et je voulais prendre les devants.

Ce qu'il venait d'entendre stupéfia Primo. Cette jeune femme était extraordinairement motivée, c'était un atout à ne pas sous-estimer !

— Je devrais peut-être prévenir ma direction, dit-il avec malice. Avec une ambition pareille, rien ne vous arrêtera tant que vous ne serez pas au sommet de la hiérarchie.

— Inutile de prévenir qui que ce soit, rétorqua Olympia du tac au tac, je saurai exprimer ce que je veux quand il le faudra.

— Oh, je n'en doute pas, répliqua Primo, toujours sur le ton de la plaisanterie, mais la question est de savoir s'il est prudent de vous garder. Vous pourriez faire de l'ombre à d'autres.

Cette fois, comprenant qu'il la taquinait, Olympia se mit à rire. Puis, retrouvant son sérieux, elle avoua avec un soupir :

— En vérité, je parle beaucoup mais je ne suis pas si sûre de moi. Quand j'aurai fait la connaissance de M. Tout-Puissant, je saurai mieux à quoi m'en tenir et pourrai mettre sur pied ma stratégie, trouver les moyens de le séduire et de le convaincre.

— Et qui est M. Tout-Puissant ?

— Primo Rinucci, bien sûr, s'exclama la jeune femme, le regardant comme s'il était un demeuré. C'est lui qui détient tous les pouvoirs chez Leonate Europa, puisqu'il vient d'en acquérir la majorité. Même moi, je sais cela !

— Mais vous détestez l'homme ! s'étonna Primo. Vous me l'avez dit clairement hier.

— Ces mots m'ont échappé dans un moment de mauvaise humeur. Maintenant, il est temps de passer aux choses sérieuses : il faut que je le mette dans ma poche. Mais je ne sais pas comment, puisqu'il ne prend même pas la peine de venir lui-même en Angleterre. Sans doute Curtis n'est-elle pas une société assez importante pour mériter son auguste attention.

— Ce que vous dites n'est pas très flatteur pour moi, ne put s'empêcher de faire observer Primo. Je…

— Ne le prenez pas mal, voyons. Je n'entendais pas que…

— Oh si. Soyez honnête, vous estimez que comme *signor* Rinucci n'a pas de temps à perdre avec une petite société comme Curtis, il a envoyé le sous-fifre que je suis pour faire l'état des lieux.

— Pas du tout, se défendit vivement Olympia. Il vous a choisi parce que vous parlez anglais comme un Anglais.

— Merci, m'dame ! Vous vous êtes bien rattrapée, mais vous ne pensez pas un mot de ce que vous dites. Sinon vous feriez un effort pour m'impressionner, au lieu d'attendre le patron pour lui sortir le grand jeu.

Olympia se mit à rire.

— Même si j'y consacrais tous mes efforts, je ne pourrais pas vous impressionner maintenant que je me suis montrée sous mon plus mauvais jour.

Et, prenant soudain un air angoissé, elle ajouta :

— Vous ne rapporterez rien de ce que je vous ai dit, n'est-ce pas ? Il ne faudrait pas que Primo Rinucci apprenne que je l'attends pour mieux le piéger.

— Et comment comptez-vous vous y prendre ?

— Ça, vous ne le saurez pas. En revanche, sachez que je suis prête à acheter votre silence et à payer le prix pour toutes les informations officieuses que vous pourriez me donner et qui m'aideraient à parvenir à mes fins.

Incrédule, Primo sonda le fond des yeux d'Olympia et y vit

heureusement la lueur espiègle qui y dansait. Rassuré, il prit une profonde inspiration, avant de déclarer en riant :

— Voulez-vous que je vous dise, madame l'ambitieuse ? Vous n'êtes qu'une effrontée qui n'a peur de rien. On vous donnerait le bon Dieu sans confession, mais en réalité vous êtes intrigante, manipulatrice, malhonnête et même…

— Malhonnête ? Certainement pas ! s'exclama Olympia.

Cette joute verbale l'enhardissait tant qu'elle prit la liberté de poser un doigt sur la bouche de Primo pour le faire taire avant d'ajouter :

— Je dis clairement que je suis prête à payer pour obtenir ce que je veux. Je ne prétends pas que cela fait de moi une personne estimable, mais c'est honnête !

— C'est discutable. Mais, dites-moi, qu'entendez-vous par « informations officieuses » ?

— Eh bien par exemple, quelle est la meilleure façon d'aborder ce Primo Rinucci ? Quel genre de femmes aime-t-il ?

— Il n'apprécie que celles qui ressemblent à la sienne, rétorqua Primo, pince-sans-rire.

Olympia ouvrit de grands yeux effarés.

— Parce qu'il est *marié* ?

— Oui, et irrémédiablement, depuis douze ans. Il a cinq enfants, et sa femme est un dragon qui poursuit toutes les employées de son mari avec un pistolet mitrailleur tant elle a peur qu'on le lui vole.

— Mais Cedric m'a dit qu'il était céli…

— Parce que vous avez soutiré des informations à ce pauvre Cedric ? la coupa Primo avec force. Je me demande bien ce que vous lui avez offert en échange ! ajouta-t-il, sérieux soudain et contenant mal sa voix.

Baissant les yeux, la jeune femme murmura :

— Comme d'habitude. Je lui ai donné ce qu'il voulait.

— Et que voulait-il au juste ?

— Oh… vous savez bien.

— Dites-le-moi ! Je veux vous l'entendre dire !

— J'ai satisfait son plus cher désir.

Primo prit une longue inspiration. Si elle ne lui répondait pas dans la seconde, il devrait se faire violence pour ne pas exploser.

— Quel était le plus cher désir de Cedric ? interrogea-t-il d'une voix impénétrable.

Olympia promena un regard méfiant autour d'eux, comme si elle allait faire une confidence fracassante et redoutait qu'on ne l'entende, et ce fut à voix très basse qu'elle avoua :

— Cedric a une passion obsessionnelle dans la vie. Il en parle peu, de peur que les gens n'en tirent des conclusions peu flatteuses pour lui…

Primo la coupa avec violence :

— Mais il savait que vous, vous le comprendriez, n'est-ce pas ?

— Bien sûr. Il avait pris la peine de me montrer sa collection, et j'ai pu lui fournir ce qui lui manquait. Il en a été ravi.

— Et que lui manquait-il ? demanda Primo qui maintenant n'y comprenait plus rien.

— En vérité, il affectionne les films sur les dinosaures, et certains sont introuvables de nos jours. Or, par chance, mon père en avait qu'il ne possédait pas. J'en ai donc fait des copies et les lui ai données. Depuis, Cedric ne peut plus rien me refuser.

Primo écarquillait des yeux éberlués, à présent.

— « Les films sur les dinosaures », répéta-t-il bêtement.

— C'était son plus cher désir, je vous l'ai dit, répliqua la jeune femme qui se mit à rire.

Comprenant qu'elle s'était jouée de lui et y avait réussi au-delà de toute espérance, Primo aussi éclata de rire, faisant contre mauvaise fortune bon cœur.

Décidément cette femme était une ensorceleuse. Il aurait

dû la fuir, et pourtant il n'avait qu'une envie : succomber à ses charmes.

Après tout, il avait été raisonnable toute sa vie. Il était temps de changer, sa mère le lui disait assez !

4.

Il leur fallut un certain temps pour recouvrer leur sérieux, après quoi Primo demanda :

— Les informations fournies par Cedric valaient-elles le prix payé ?

— Hélas non. Le pauvre ne savait pas grand-chose. Il n'a même pas su me décrire *signor* Rinucci, il m'a seulement dit qu'il était « plutôt grand », ce fut son expression. Mais vous qui le connaissez, dites-moi : est-il beau ? Qu'aime-t-il dans la vie ? Parlez-moi de lui.

— Vous avez l'intention de le séduire ? demanda Primo en évitant de la regarder.

— Tout dépend de ce que vous entendez par séduire. Je compte certainement jouer toutes mes cartes avec lui.

Primo se rembrunit et c'est d'un ton bourru qu'il déclara :

— En tout cas, je vous préviens : tel que je le connais, si vous voulez acheter Primo Rinucci, il vous en coûtera bien davantage que des films vidéo sur les dinosaures ! Il faut absolument que vous sachiez jusqu'où vous êtes prête à aller. Le savez-vous ?

Olympia feignit un air offensé.

— Quelle question ! Pour qui me prenez-vous ?

— Pour une femme qui fait passer son ambition avant tout : l'amour, le bonheur et même l'estime de soi.

— L'estime que je me porte passe par la réussite professionnelle, rétorqua la jeune femme avec hauteur. Et pour l'assurer, il faut que

54

j'impressionne M. Rinucci par mes capacités, mon degré de motivation, mon désir de lui donner satisfaction, bref, tout ce qui pourra le convaincre que je suis la personne qu'il lui faut.

— Et pour mieux l'impressionner, vous êtes prête à user de *tous* vos charmes ? insista Primo.

Il regretta aussitôt sa question, mais celle-ci lui avait échappé.

Olympia d'ailleurs ne parut pas s'en offusquer, haussant seulement les épaules.

— Rien n'est moins sûr. Je ne suis peut-être pas son genre de femme.

— Oh, il n'a pas de genre particulier, rétorqua-t-il, jetant la prudence aux orties. Il les aime toutes, et c'est dans ce domaine un individu dangereux. Si vous aviez un peu de bon sens, vous vous méfieriez de lui. Et maintenant que je vous ai prévenue, si nous parlions d'autre chose ? Nous n'allons pas passer la soirée à discuter de Primo Rinucci. Pour ma part, j'aimerais savoir qui sont ces amoureux qui tournent autour de vous comme des papillons. Ne craignez-vous pas qu'ils ne vous gênent dans votre entreprise de séduction sur votre nouveau patron italien ?

— Quels amoureux ? Je n'en ai aucun. En tout cas, pas en ce moment.

— Appelons-les des admirateurs, si vous préférez. Je veux parler de ceux qui vous ont envoyé des cartes et des fleurs, ce matin. Qui est celui qui a écrit : « Jamais je n'oublierai. » ?

— Il s'appelle Brendan, dit la jeune femme avec un sourire amusé, et nous avons eu un petit flirt il y a quelques années. Depuis, il m'envoie une carte tous les ans pour la Saint-Valentin.

— Ce n'était vraiment qu'un petit flirt ? ne put s'empêcher de demander Primo.

— Brendan est d'autant plus amoureux qu'il se trouve loin de moi. Pour la Saint-Valentin, il s'organise toujours pour se trouver à l'autre bout du monde. La carte reçue ce matin était envoyée d'Australie.

— Et les deux autres ? Et les roses ?

55

Cette fois, Olympia éclata d'un rire heureux.

— Vous ne me croirez pas quand je vous dirai qui les a envoyées.

— Dites-le quand même.

— Ce sont mes parents. Je suis née après vingt ans de mariage, quand ils avaient perdu tout espoir d'avoir un enfant. Aussi, du plus loin que je m'en souvienne, ils me souhaitent la Saint-Valentin parce que pour eux, assurent-ils, j'ai métamorphosé le monde. Ils sont tellement adorables !

Primo la regarda, incrédule.

— Vous me dites la vérité ?

— Je vous le jure.

— Alors pourquoi ne pas me l'avoir dit ce matin ?

— Parce que j'étais ravie que vous me prêtiez une horde d'admirateurs. C'est toujours flatteur pour une femme, savez-vous ?

— Mademoiselle Lincoln, vous êtes une malicieuse !

— Absolument, je ne le nie pas. Je dois vous dire que même mon mari, jusqu'à la fin, a eu des doutes sur l'identité des expéditeurs de ces cartes de la Saint-Valentin.

— Jusqu'à la fin, dites-vous ? intervint vivement Primo. Il est donc décédé ?

— Non ! Bien sûr que non. je l'aurais volontiers tué à plusieurs reprises, mais je m'en suis toujours abstenue, plaisanta la jeune femme. En définitive, je pense avoir eu raison.

Primo était stupéfait d'apprendre qu'elle avait été mariée. Pour cacher son étonnement, il demanda d'un ton parfaitement neutre :

— Si je comprends bien, ce n'était pas quelqu'un de bien intéressant ?

Olympia réfléchit avant de répondre.

— Pour être honnête, déclara-t-elle enfin, je suis sans doute injuste envers David. Il n'était pas le monstre que j'ai voulu en faire après notre divorce. C'est moi qui étais naïve de croire que l'amour est plus fort que tout. En vérité, nous nous sommes mariés trop jeunes :

56

j'avais dix-huit ans, et lui à peine vingt et un. Avec les années nous avons changé, ou alors peu à peu nous avons découvert qui nous étions réellement.

— Est-ce lui qui vous a rendue si ambitieuse, si cynique ?

— Oh, il m'a appris des tas de choses, soupira Olympia, à commencer par les vertus de l'égoïsme et de la détermination. Je sais maintenant ce qu'il faut faire pour arriver : se fixer un but et foncer droit devant sans s'occuper des autres. Et tant pis pour les dégâts.

Primo, qui s'était souvent dit la même chose, trouvait très déplaisant de l'entendre exprimer par cette jeune femme tellement attirante.

— Ne parlez pas ainsi, murmura-t-il en avançant un doigt pour le poser sur sa bouche.

— Vous avez raison, articula Olympia sans lui laisser le temps de retirer son doigt, il vaut mieux cacher son jeu, jouer la comédie. Mais avec vous, je n'ai pas à le faire. Nous pouvons être honnêtes, jouer cartes sur table.

Cette dernière phrase rappela brutalement à Primo que, pour l'instant, il voguait sous un pavillon de complaisance. Mais cette supercherie même lui permettait d'être sincère et d'abaisser toutes ses défenses. Il avait l'impression d'être lui-même, et c'était enivrant.

Etait-ce ce que Hope avait si souvent tenté de lui dire ?

— Vous n'avez jamais désiré avoir des enfants ? demanda-t-il soudain.

Olympia hésita, puis :

— Je voulais des enfants de mon mari. Avant de le connaître, je ne pensais pas à la maternité. Je voulais faire carrière, et je me disais que le désir d'enfant viendrait plus tard. Mais quand j'ai connu David, tout a changé. Je n'avais plus qu'une idée en tête : devenir sa femme et avoir des enfants de lui. Hélas, de son point de vue, ce n'était jamais le bon moment. Nous étions trop jeunes, avançait-il, et c'était sans doute vrai. Et puis il y avait « d'autres priorités », disait-il encore. Et moi, j'acceptais tout ce qu'il voulait. Cela me paraissait normal du moment qu'il m'aimait et que je l'aimais.

Elle parlait maintenant avec un détachement délibéré, mais Primo sentait bien qu'il lui en coûtait d'évoquer ses souvenirs.

— Il vous aimait réellement ? demanda-t-il doucement.

La jeune femme eut un petit rire sans joie.

— Non, bien sûr. Je lui convenais, et tant que je lui ai été utile, tout a bien marché entre nous. Il s'habillait comme un prince pour aller travailler : il fallait faire bonne impression sur ses supérieurs, assurait-il. Mais moi qui travaillais aussi, je devais me contenter des vêtements les plus modestes, parce que qui se souciait que je sois élégante ou pas ?

— Lui-même s'en moquait ?

— Oh, il était malin. Savez-vous ce qu'il me disait ? « Chérie, pourquoi dépenser de l'argent pour t'habiller ? De toute façon pour moi, tu seras toujours la plus belle. »

— Quelle horreur ! Je pensais que les individus aussi viles n'existaient plus.

— C'était un peu ma faute aussi, reprit vivement Olympia. Je n'avais qu'à pas me laisser faire. Mais j'étais tellement amoureuse que je refusais de voir ce que mes yeux me montraient. Et puis je le trouvais si beau, ajouta-t-elle dans un soupir. On a toujours du mal à croire qu'un homme beau et séduisant puisse être un être méprisable.

Elle se tut et fixa le fond de sa coupe de champagne comme si elle espérait y trouver la solution de quelque mystère existentiel.

En vérité, elle était sur le point de parler d'un sujet qu'elle n'avait jamais encore abordé avec personne. Un sujet infiniment doulou-reux, enfoui au plus profond de son cœur et que pour une obscure raison elle s'apprêtait à dévoiler à un homme qu'elle ne connaissait que depuis la veille.

Pourquoi ce besoin de s'ouvrir ainsi à lui ? Parce qu'il lui semblait le connaître depuis toujours et que son instinct lui disait qu'elle pouvait avoir confiance en lui.

Jack dut sentir l'effort qu'elle faisait sur elle-même, car il dit très doucement :

— Que s'est-il passé ensuite ?

Olympia eut un sourire triste.

— Nous travaillions dans la même société, moi en bas de l'échelle et lui à un poste de responsabilité. Un jour, la direction l'a chargé de concevoir un plan marketing pour un nouveau produit. Je m'y connaissais déjà en marketing, puisque je sortais d'une école de commerce, et je l'ai aidé. Non seulement sur le fond, mais sur la forme. Je peux dire sans me vanter que toutes les idées originales venaient de moi, et toutes les astuces de présentation aussi. Evidemment, personne n'en a rien su, et c'est David qui a récolté toutes les félicitations.

— Il s'était donc approprié vos idées sans dire qu'elles étaient de vous ?

— Exactement, et le succès du plan lui a valu de l'avancement. Il a été nommé assistant du directeur, et c'est ainsi qu'il a connu la fille du patron qui travaillait aussi dans l'entreprise. Un jour que j'étais montée à l'étage de la direction voir David pour une raison que j'ai oubliée, j'ai trouvé Rosalie — c'est son nom — dans le bureau de David, penchée en travers de sa table de travail, le visage à quelques centimètres du sien. Elle était furieuse en me voyant et m'a prise de très haut pour me demander qui j'étais. Quand elle l'a su, elle est tombée des nues : David ne lui avait jamais dit qu'il était marié ! Ce soir-là, j'ai beaucoup pleuré en attendant David et il est rentré très tard à la maison. Nous avons eu une violente dispute. Je ne pouvais pas admettre qu'il ait dissimulé mon existence à Rosalie. C'était me nier en quelque sorte, et je le lui ai dit. Et savez-vous ce qu'il m'a répondu ?

Comme Jack secouait lentement la tête, elle poursuivit :

— « Pourquoi parlerais-je de toi ? Il n'y a vraiment rien d'intéressant à en dire. » Ce furent ses mots exacts.

— *Bastardo !*

— Moi, je n'ai rien trouvé à répondre, soupira-t-elle. Rosalie me paraissait si belle, elle avait tant d'aisance, d'assurance, en comparaison de la petite oie blanche que j'étais. Quoi qu'il en soit, nous avons divorcé peu après, et il l'a épousée. Depuis, évidemment, il a gravi tous les échelons de la hiérarchie.

— C'est normal, fit Primo avec un cynisme grinçant. Le gendre du patron arrive toujours au sommet.

Olympia eut un petit rire triste avant de déclarer encore :

— Ils ont deux enfants, maintenant. Deux enfants superbes, d'après une de mes amies qui les a vus.

— Ils auraient pu être les vôtres, dit-il doucement.

La jeune femme parut soudain incapable de parler, et son visage blêmit. Mais elle se reprit vite.

— Il ne sert à rien de ressasser le passé, c'est du sentimentalisme, murmura-t-elle. Il vaut mieux penser à l'avenir et s'organiser pour qu'il soit meilleur. C'est ce que je m'efforce de faire.

Primo était très ému, car il sentait Olympia bouleversée et infiniment fragile. Quelque chose lui disait que c'était la première fois qu'elle parlait de ce drame personnel, et que déjà, regrettant de l'avoir fait, elle se réfugiait sous sa carapace. Il en eut confirmation quand elle conclut sur un ton qu'elle voulait badin mais qui sonnait creux :

— Voilà, vous connaissez maintenant l'histoire de ma vie.

— Non, pas de votre vie, Olympia. Il ne s'agit que d'un épisode, d'une expérience malheureuse. Ne jugez pas tous les hommes à l'aune de votre mari. En général, nous valons quand même mieux que cela.

— Je le sais. D'ailleurs, j'aime les hommes et je me plais en leur compagnie. Mais… Je guette toujours le moment où ils montreront leur vrai visage.

— Certains l'affichent d'emblée, savez-vous ?

Olympia regarda son compagnon avec un air moqueur.

— Vous, par exemple ?

— Ne parlons pas de moi, riposta précipitamment Primo.

— Pourquoi ? Celui que vous êtes réellement est si terrible ? plaisanta la jeune femme.

A cet instant, il fut tenté de lui dire la vérité sur son identité et se retint de justesse.

— Non, mais parlons maintenant de la nouvelle Olympia, déclara-t-il à la place. Celle qui sait que l'amour n'existe pas.

— Celle qui sait surtout qu'il ne doit pas faire perdre la tête.

— Etre amoureux en gardant la tête froide, cela n'a pas beaucoup de charme, fit-il valoir.

— Vous ne croyez donc pas que la raison doit primer sur le cœur ?

— Non. Je trouve même que c'est une absurdité.

— Pourtant, la plupart des hommes veulent qu'on les admire pour leurs qualités intellectuelles, pas pour leurs qualités de cœur.

Aïe ! Pour orienter la conversation sur un sujet moins dangereux et moins personnel, Primo demanda en riant :

— Comptez-vous vous extasier sur les qualités intellectuelles de Primo Rinucci quand vous le verrez ?

— Est-il assez intelligent pour que je puisse sincèrement le faire ? répliqua Olympia du tac au tac.

— S'il ne l'est pas, il croira encore plus facilement à vos compliments. Quant à moi, pour tout vous dire, je le trouve plutôt stupide.

Olympia écarquilla des yeux stupéfaits.

— Vous êtes sérieux ? Quel âge a-t-il ?

— A peu près le mien, marmonna Primo, évitant soigneusement le regard de la jeune femme.

— S'il n'est pas intelligent, il est bien jeune pour accéder au niveau de responsabilité qui est le sien.

— L'influence de sa famille n'y est pas étrangère, rétorqua Primo, ne trouvant rien de mieux à avancer bien que ce ne soit guère flatteur pour lui. Et maintenant, Olympia, si nous parlions d'autre chose ? ajouta-t-il sur le ton de la lamentation. Franchement, ce personnage commence à me fatiguer !

— Oh, pardon. J'oublie toujours que pour vous il n'est pas intéressant.

Le serveur qui leur présentait la carte des desserts évita à Primo un nouveau mensonge, et jusqu'à la fin du dîner la conversation roula sur des sujets sans risque.

Ce fut Olympia qui donna le signal du départ. Sur le trajet du retour ils parlèrent peu, et progressivement le silence s'installa dans la voiture. Cela convenait à Primo, qui réfléchissait à ce qu'il avait appris d'Olympia. Aussi ne fut-il pas peu surpris, lorsqu'il s'arrêta devant l'immeuble de la jeune femme, de s'apercevoir que sa passagère s'était carrément endormie.

Elle respirait si doucement qu'il entendait à peine son souffle, et son visage était détendu comme celui d'un enfant heureux.

Primo se rapprocha d'elle avec précaution. Avec toute autre femme, il aurait délicatement posé ses lèvres sur les siennes pour les taquiner jusqu'à ce qu'elle se réveille et réponde à son baiser. Alors il l'aurait prise dans ses bras et ils se seraient embrassés longuement, passionnément, avant qu'il ne pose la question fatidique à laquelle elle aurait répondu en hochant la tête. Ensuite, ils seraient montés enlacés jusque dans son appartement dont ils auraient fermé la porte sur eux…

Mais avec cette ensorceleuse qui sommeillait, abandonnée, il ne pouvait — ne devait — pas se comporter ainsi. Toute manifestation de passion était interdite.

Il se contenta donc de la contempler en silence un long moment, puis il lui prit la main pour la serrer doucement jusqu'à ce qu'elle entrouvre les yeux. Alors il dit d'une voix qui tremblait un peu :

— Vous devriez rentrer chez vous, à présent. Vous ne m'en voudrez pas si je ne vous raccompagne pas jusqu'à votre porte ?

Il la suivit des yeux, la regarda disparaître dans le hall de l'immeuble et ne démarra que lorsque ses fenêtres s'éclairèrent au deuxième étage.

5.

Le lendemain, Olympia se réveilla le sourire aux lèvres. Elle
se sentait heureuse, détendue, habitée par une grande sérénité. Les
détails de la soirée de la veille lui revenaient avec une précision qui
lui faisait battre le cœur, et elle ne doutait pas que Jack Cayman se
manifesterait avant peu.

Quand le téléphone sonna, elle décrocha à la hâte, toute
excitée.

— Olympia ?

— Jack ! Je savais que c'était vous.

— Pourquoi ? La sonnerie était impatiente ?

Elle éclata d'un rire ravi. C'est lui qui était impatient ! Il appelait
pour la voir, voulait la rejoindre très vite…

— Un peu, admit-elle.

— Ecoutez, je suis pressé, dit-il alors d'un ton assez sec. Depuis
l'aube j'étudie sur mon ordinateur les bilans de Curtis. J'ai encore
beaucoup à faire, mais si j'y consacre la journée, je pourrai partir
demain matin.

Le ton blessa Olympia, mais c'est surtout ce qu'il venait de dire
qui l'atterra.

— Vous vous en allez ? demanda-t-elle, le souffle court.

— Il faut que j'aille visiter les deux usines filiales de Curtis. J'ai
étudié leurs résultats sur le Net, mais je veux me rendre compte de la
situation de visu. Et je tiens à ce que vous m'accompagniez. Préparez

des affaires pour quelques jours et tenez-vous prête à partir demain matin : je passerai vous prendre à la première heure.

Sans attendre de réponse, il raccrocha, la laissant complètement désemparée.

Etait-ce le même homme qui l'avait invitée à dîner la veille et qui s'était montré le plus charmant des chevaliers servants ? Elle avait peine à le croire.

Cette impression se renforça le lendemain matin.

Quand Jack vint la chercher, il se montra poli, mais distant et impersonnel. La soirée qu'ils avaient passée ensemble aurait pu aussi bien n'avoir jamais existé.

Hadson, la première usine, se trouvait dans le sud du pays. Sur la route, Olympia expliqua à son chauffeur comment cette petite unité de production s'était vu confier la fabrication de périphériques d'ordinateur. Quand Jack l'interrogea sur sa rentabilité, elle pesa prudemment ses mots, ne voulant pas révéler d'emblée la triste vérité, à savoir que Hadson perdait de l'argent. Il le verrait par lui-même bien assez tôt. Dieu merci, il ne la poussa pas dans ses retranchements.

— Vous avez appelé pour prévenir de notre visite ? demanda-t-elle juste avant leur arrivée sur les lieux.

— Non, répondit froidement son compagnon, je préfère jouer sur l'effet de surprise.

En fait de surprise, c'en fut une pour les quelques quarante employés de la petite usine. Une surprise qui cachait mal la peur de chacun de voir définitivement scellé le sort de son emploi.

Olympia les présenta tous individuellement à Jack Cayman, vantant leurs mérites personnels et professionnels.

Celui-ci se montra charmant avec tout le monde. Il invita les trois cadres dirigeants à déjeuner et les fit parler sur les résultats de l'affaire, ses points forts et ses difficultés. Tous trois admirent que la situation n'était pas glorieuse.

Plus tard dans l'après-midi, alors que Jack se trouvait seul avec Olympia, il la surprit de nouveau en déclarant :

— Je crains que nous ne devions rester sur place jusqu'à demain. Y a-t-il un bon hôtel au village ?

— Non, mais en revanche le pub local loue des chambres. C'est un établissement simple, mais sympathique et propre, et la nourriture y est excellente. Il est situé de l'autre côté du village.

— Parfait. Voulez-vous aller y retenir deux chambres ? Oh...

Il parut soudain gêné, et reprit vite :

— Je crains d'avoir oublié ma carte de crédit. Pourrez-vous utiliser la vôtre ?

— Bien sûr.

Il passa le reste de l'après-midi plongé dans les comptes et les bilans, et le soir ils se dirigèrent tous deux vers le pub, un endroit sans prétention mais non sans charme. Les deux chambre retenues, bien que minuscules, se révélèrent tout à fait confortables, et la cuisine succulente comme prévu. Le repas fut l'occasion d'une discussion des plus âpres.

Ce fut Olympia qui attaqua.

— Vous n'allez pas fermer l'usine, tout de même ?

— Elle n'est hélas pas rentable, vous le savez très bien. Une unité de quarante personnes l'est rarement.

— Mais ils travaillent tous très dur, riposta-t-elle.

— Il n'empêche qu'ils font maintenant partie d'un grand groupe international et...

— Et que seuls les résultats comptent, c'est cela ? coupa Olympia avec violence.

— Me laisserez-vous placer un mot ? L'usine gagnait de l'argent jusqu'à il y a deux ans, quand s'en est ouverte une autre, Kellway, à quelques kilomètres d'ici. Kellway fabrique à peu près les mêmes produits, et le marché n'est pas assez important pour alimenter deux usines.

— La municipalité n'aurait jamais dû autoriser Kellway à s'im-

66

planter aussi près, fulmina-t-elle. Ils voulaient nous faire du tort, c'est sûr !

— Nous ?

— Je parle de Hadson. Mais pour vous, ce n'est évidemment qu'un centre de profit, ajouta-t-elle avec mépris.

— Je suis payé pour voir les choses ainsi.

Olympia reprit la mouche.

— Et les gens ? Vous y pensez parfois ? s'emporta-t-elle. M. Jakes, le directeur, est un vieux monsieur adorable. Il tient à son job comme à la prunelle de ses yeux.

— A son âge, peut-être ne refusera-t-il pas de prendre sa retraite ?

— Certainement pas ! Il ne supporterait pas de voir fermer son usine ! Sans parler de tous les autres qui seront contraints au chômage ! Les emplois sont rares dans cette région, vous le savez, n'est-ce pas ? Mais vous vous en moquez ! Tout ce qui compte, ce sont les chiffres et les résultats.

— Je vous le répète, c'est pour cela que je suis payé. Et vous aussi d'ailleurs, permettez-moi de vous le rappeler, rétorqua Jack qui commençait à perdre patience.

Mais Olympia était tellement hors d'elle qu'elle n'entendit pas cette mise en garde.

— Les êtres humains existent aussi, gronda-t-elle. Il n'y a pas que les statistiques !

— Et moi, je vous répète que les affaires sont les affaires, pas de la philanthropie.

— Alors, au diable les affaires !

Un silence lourd ponctua cet anathème.

— Si Primo Rinucci vous entendait parler ainsi, fit remarquer son compagnon en la regardant sévèrement, vous pourriez renoncer à vos rêves de carrière.

Comprenant qu'elle s'était mise dans un mauvais pas, Olympia se mordit la lèvre.

67

— Mais vous seul m'avez entendue, et vous n'en direz rien, n'est-ce pas ?

— De toute façon, la vérité apparaîtra tôt ou tard.

— Quelle vérité ?

— Que la carriériste dure, ambitieuse, cynique et calculatrice que vous êtes cache un être humain au cœur d'artichaut.

— Faux !

Jack Cayman haussa les épaules.

— Nous en reparlerons. Pour ce soir, il se fait tard, et je dois encore travailler sur mon ordinateur, obsédé que je suis par ma poursuite insatiable et diabolique du profit. Bonsoir, mademoiselle Lincoln !

Et il la laissa là, écumante de fureur.

Comment diable avait-elle pu le trouver charmant ? Pire, séduisant ! En réalité, ce type était un monstre ! Dire qu'il avait osé la traiter d'être humain au cœur d'artichaut ! Elle le lui ferait chèrement payer !

Jack aggrava encore son cas le lendemain matin, quand elle découvrit un mot de lui sur la table du petit déjeuner.

« Je suis occupé toute la matinée. Je vous rejoindrai chez Hadson plus tard. J.C. »

On ne pouvait être plus concis, fulmina-t-elle intérieurement. Peut-être avait-il des difficultés à écrire ? En tout cas, il en avait certainement pour signer de ses initiales, car les siennes étaient précédées de quelque chose de barré et de griffonné. Ne connaissait-il pas son propre nom ? ironisa-t-elle intérieurement.

Elle-même passa une matinée pénible à l'usine. Le personnel s'attendait au pire, et elle ne pouvait rassurer personne. Quand Cayman reparut en début d'après-midi, il fut accueilli par un silence mortel.

Sans y prêter attention, il lança avec bonne humeur :

— Désolé de vous avoir fait attendre, mais l'affaire de ce matin a été plus difficile à conclure que je ne pensais. M. Kellway a eu du mal à se décider, cependant il a fini par accepter ma proposition.

— Vous étiez chez Kellway ? demanda Olympia abasourdie.

— Oui, j'ai racheté l'usine. Le marché étant trop restreint pour alimenter deux unités de production, nous allons fusionner. Ceux qui veulent continuer à travailler seront repris chez Kellway. Ceux qui préfèrent partir le feront avec des indemnités, et ceux qui approchent de l'âge de la retraite pourront la prendre.

Des soupirs de soulagement s'entendirent de toutes parts tandis qu'il poursuivait, promenant sur son assistance un regard satisfait :

— Avant de m'en aller avec Mlle Lincoln, j'aimerais savoir qui veut partir et qui veut rester. M. Jakes, vous pouvez garder votre poste de directeur si vous le souhaitez : Kellway est très désireux de vous conserver.

— Vous voulez dire que je ne peux pas partir à la retraite ? demanda l'interpellé, fronçant les sourcils.

— Si, bien sûr, si c'est ce que vous désirez.

— Et comment ! Je rêve depuis si longtemps de partir en Australie auprès de ma fille !

Personne ne parut s'en étonner sauf Olympia, qui ouvrit des yeux ronds mais se garda de dire quoi que ce soit.

Un peu plus d'une heure après, elle quittait l'usine avec Jack sous les applaudissements de tout le personnel.

Comme ils regagnaient le pub pour y récupérer leurs affaires, celui-ci demanda :

— Croyez-vous que nous pouvons nous rendre à l'autre usine ce soir ?

— Ce sera juste, mais nous devrions y arriver.

La seconde unité de production était située dans les Midlands, à trois heures de voiture environ de l'endroit où ils se trouvaient. Ce fut Olympia qui conduisit, et ils parlèrent peu pendant le trajet.

Sur place, ils trouvèrent un petit hôtel et se présentèrent à la salle manger juste à temps pour le dernier service.

Comme ils terminaient leur potage, Olympia qui n'avait encor pas dit un mot s'y décida :

— Je n'aurais jamais imaginé que vous rachetiez Kellway. *Signo* Rinucci en sera furieux, j'imagine ?

Son compagnon porta sur elle un regard étonné.

— Pourquoi ? C'est une stratégie logique. Vous ne l'avez pa vu parce que vous ne réfléchissez pas encore dans une optiqu internationale.

A son tour, Olympia le regarda sans comprendre.

— Comment cela ?

— Vous continuez à envisager la gestion de Curtis en fonction d marché anglais, alors que vous faites maintenant partie d'un group qui travaille à une échelle mondiale.

— Comment apprendrais-je à « réfléchir dans une optiqu internationale », comme vous dites, quand je ne connais toujour pas le grand patron ?

— Vous pensez toujours l'impressionner ?

— Bien sûr. Pourquoi aurais-je changé d'avis ?

— Vous avez montré tant de compréhension et d'humanité enver le personnel de Hadson que je me posais la question, rétorqua Jack taquin.

— Ce n'était qu'un moment d'égarement, et on ne m'y reprendr plus, déclara-t-elle, piquée au vif. D'ailleurs je m'étais trompée su M. Jakes, alors que vous, vous aviez compris dès le début qu'il étai prêt à prendre sa retraite.

— Peut-être ne suis-je pas un monstre uniquement préoccup par les chiffres et les statistiques, comme vous aimez à le croir ironisa gentiment son compagnon.

— J'ai dit ça, moi ? fit mine de s'étonner Olympia. Je ne m'e souviens pas.

— Sans doute parce que vous êtes fatiguée. Moi aussi, d'ailleurs

Achevons vite notre repas et allons nous coucher. La journée de demain risque d'être longue.

Si lasse soit-elle, Olympia trouva difficilement le sommeil.

Etendue dans l'obscurité, elle avait une conscience aiguë de la présence de son compagnon, dont elle n'était séparée que par une mince cloison. Elle entendit son lit grincer puis perçut ses pas sur le plancher de bois : il allait à la fenêtre qu'il ouvrit, sans doute pour s'imprégner de l'air froid de la nuit. Ensuite il regagna son lit et recommença à s'y tourner et retourner.

A quoi pensait Jack Cayman, et pourquoi était-il, comme elle, aussi long à s'endormir ? Elle se surprit à se le demander.

L'intervention dans la seconde usine fut plus aisée que celle de la veille.

Comme chez Hadson, ils arrivèrent sans prévenir, et le hasard fit que le directeur était en pleine discussion avec un client mécontent.

L'homme était clairement d'humeur belliqueuse. Leur arrivée ne fit que l'exciter davantage, et il devint vite évident que le directeur ne parviendrait pas à s'en faire entendre.

C'était compter sans Olympia, qui réussit à calmer le client en moins de temps qu'il n'en faut pour le dire. Elle commença par lui adresser son sourire le plus charmeur puis lui parla doucement, lui donnant raison sur certains points et se gardant de soulever ceux qui posaient problème. De fil en aiguille, l'homme, complètement subjugué, non seulement maintint sa commande mais la doubla.

Dans la voiture qui les ramenait à Londres, Jack était aux anges.

— Vous vous êtes débrouillée comme un chef avec ce client irascible ! exulta-t-il. Je propose que nous fêtions cela en sortant ensemble ce soir.

Pour toute réponse, Olympia esquissa un sourire ravi.

Il la déposa devant son immeuble en milieu d'après-midi et déclara avant qu'elle ne sorte de la voiture :

— Donc, ce soir, je vous emmène au Perroquet Bleu.

— Oh !

C'était le dernier night-club à la mode.

— J'aimerais que vous portiez une robe noire, ajouta Jack avec un regard excessivement charmeur. En possédez-vous une ?

— Peut-être…, répondit-elle évasivement, sachant parfaitement que non.

— De toute façon, prenez l'après-midi pour vous : vous irez en acheter une ou, si c'est inutile, vous vous reposerez.

C'est ainsi qu'elle passa deux heures dans sa boutique favorite à se choisir une ravissante robe de soie noire, moulante à souhait sans pour autant être trop provocante.

Jack fut visiblement ébloui quand il vint la chercher.

— Vous êtes exactement telle que je vous imaginais quand j'ai acheté ceci, lui dit-il en lui tendant un joli écrin habillé de velours noir.

A l'intérieur, elle découvrit de délicates boucles d'oreilles en brillants, ainsi qu'une chaîne avec un pendentif en brillants aussi.

— Une gratification pour votre succès de ce matin, déclara son compagnon.

— C'est Curtis qui me l'offre ? interrogea-t-elle, indécise.

— Absolument ! Nous aimons récompenser nos employés quand ils donnent satisfaction.

Jack ne la quitta pas des yeux tandis qu'elle mettait en place ses boucles d'oreilles. Ceci fait, elle se tourna et lui offrit tout naturellement sa nuque afin qu'il attache le fermoir de la chaîne.

D'abord, il ne se passa rien. Il ne pouvait décemment pas lui refuser ça ! se dit-elle, alarmée. Enfin, il accrocha rapidement le fermoir et recula d'un pas.

— Parfait, allons-y, déclara-t-il avec une brusquerie surprenante.

Au Perroquet Bleu, la direction avait décidé de prolonger les festivités de la Saint-Valentin, de sorte que la salle était entièrement décorée de cœurs rouges lumineux.

Un serveur les conduisit à une table en bordure de la piste de danse. Quelques couples évoluaient déjà au rythme de la musique que jouait un petit orchestre, et une chanteuse scintillante de paillettes roucoulait une chanson suave où il était question de la lune au mois d'août.

Olympia et Jack demeurèrent silencieux un long moment. Elle se sentait détendue, heureuse, sachant que ce matin elle avait impressionné son compagnon... Et qu'il la trouvait belle, comme son regard l'exprimait clairement.

Elle prit la parole la première, sur le ton de la plaisanterie.

— Je m'étonne que vous soyez ici ce soir. Je pensais que vous resteriez à votre hôtel pour rédiger votre rapport sur Curtis.

— Après tout ce qui s'est passé ces deux derniers jours, j'ai besoin de faire le point. Et vous ne me facilitez pas les choses, car vous n'êtes jamais la même.

— Vous n'avez pas besoin de parler de moi en tant que personne. Seulement en tant que professionnelle.

— Dans ce rôle-là, je dois dire que vous en imposez ! Ce matin, votre performance m'a littéralement ébloui.

— Ce n'est pourtant pas un exploit, observa-t-elle, feignant la modestie. Il suffit de battre des paupières pour capter l'attention de celui qu'on cherche à amadouer. Quand il s'est laissé prendre et qu'il croit avoir affaire à une minette stupide, on lui assène les chiffres, les faits et les arguments. Il n'a pas le temps de comprendre que déjà on le tient, et il en passe exactement par où on veut.

— Vous êtes très forte pour battre des paupières, j'imagine ?

— Je pense, oui, répliqua-t-elle en riant. Vous voulez voir ?

Sans attendre la réponse, Olympia commença par regarder Jack droit dans les yeux, puis lentement, presque en hésitant, elle abaissa ses paupières avant de les rouvrir.

Primo retint son souffle. Il lui semblait qu'il découvrait les yeux d'Olympia pour la première fois, et son cœur battait avec violence. D'autant que pour ne rien arranger, la jeune femme lui souriait maintenant avec une insoutenable langueur…

— C'est la méthode que vous comptez utiliser avec Primo Rinucci ? réussit-il à demander d'une voix un peu rauque.

— Vous pensez qu'il y serait sensible ?

— Certainement.

— Pourtant vous, cela ne semble pas vous troubler. Apparemment, vous restez de marbre.

Elle avait prononcé cette dernière phrase avec un peu de mauvaise humeur et Primo, qui se demandait maintenant jusqu'où il tiendrait sans se trahir, rétorqua de son mieux :

— Vos techniques de séduction ne sont pas censées marcher avec moi. Je dois seulement vous aider à réaliser votre unique et grandiose ambition professionnelle.

— Mais si aucune de mes tactiques ne fonctionnent avec vous, comment saurais-je ce qui sera efficace avec le *signor* Rinucci, fit mine de se lamenter Olympia avant de se taire brusquement.

Elle porta la main à sa bouche.

— Jack ! Jack, dites-moi, vous n'êtes pas… Enfin, je veux dire… A quoi servirait-il de… Vous me l'auriez dit, n'est-ce pas ?

— Quoi donc ?

— Vous savez très bien ce que je veux dire.

— Absolument pas.

— Vous… Vous n'êtes pas…

Il eut un sourire narquois.

— Etes-vous en train de me demander si je suis homosexuel ?

— Eh bien… euh… l'êtes-vous ?

— Parce que vous partez du principe que tout homme qui n'essaie

74

pas de vous entraîner dans son lit dans la minute qui suit sa rencontre avec vous n'aime pas les femmes ?

— *L'êtes-vous ?*

— Cela ferait-il une différence à vos yeux ?

— Oh oui ! Comment pourriez-vous me conseiller pour que je fasse impression sur Primo Rinucci si vous…

— Et s'il l'était aussi ?

— Vous parlez sérieusement ?

— Comment le saurais-je ? Je ne lui ai jamais fait d'avances, je vous l'avoue.

Olympia le fusilla du regard.

— Ai-je perdu mon temps avec vous ?

— Que vous dit votre intuition féminine ? rétorqua Primo qui maintenant s'amusait. Suis-je insensible à votre charme, ou est-ce mon éducation de gentleman qui m'interdit d'y céder ?

— Vous vous régalez à me faire marcher, n'est-ce pas ? marmonna Olympia avec humeur.

— Oh combien ! C'est mon droit, non ?

Mais la jeune femme ne l'écoutait plus. Son regard s'était porté au-delà de la piste de danse et elle parut tout à coup se décomposer.

— Qu'y a-t-il ? demanda Primo, lui prenant la main pour regagner son attention.

— Rien… Je dois me faire des idées…

— Vous paraissez bouleversée. Dites-moi ce qui vous arrive.

— Je… J'ai cru reconnaître quelqu'un, mais dans la pénombre je me suis sûrement trompée.

Inconsciemment, Olympia serrait sa main comme si elle cherchait à se rassurer.

— Qui avez-vous cru reconnaître ?

— Mon ex-mari, avoua-t-elle dans un souffle.

6.

Primo la dévisagea, suffoqué.

— Vous êtes sûre de ne pas vous tromper ?

— J'ai peur que non.

— Est-ce si grave ? demanda-t-il avec stupeur quand il vit qu'elle tremblait. Vous ne l'aimez plus, n'est-ce pas ?

— Non, bien sûr, mais c'est la première fois que je le vois depuis notre divorce. Peut-être n'est-ce pas lui, ajouta la jeune femme avec une petite note d'espoir.

— N'empêche qu'il vaut mieux en avoir le cœur net, sinon vous allez passer une très mauvaise soirée.

Olympia secoua la tête.

— Comment voulez-vous que je vérifie ? gémit-elle. Je ne vais pas aller jusqu'à sa table pour mieux le voir.

— Non, mais nous pouvons nous en approcher en dansant.

— Mais…

— Olympia, il faut y aller. Si c'est lui et que vous n'êtes pas capable de l'affronter, vous aurez tellement honte de vous que vous ne pourrez plus jamais vous regarder dans une glace.

Et sans lui laisser le temps de tergiverser davantage, il se leva, prit la main d'Olympia et la força à se dresser. Après quoi, il l'entraîna sur la piste de danse.

Ils commencèrent à évoluer lentement au son de la musique romantique, et son cavalier chuchota tout contre l'oreille d'Olympia :

— De quel côté se trouve-t-il ?

— En bordure de la piste, à gauche de l'orchestre.

Tout en dansant, ils s'approchèrent. Elle scrutait de son mieux les tables dans la pénombre et finit par repérer celle qu'elle cherchait.

Sa première réaction fut de s'étonner d'avoir reconnu David, tant il avait changé. D'abord, il avait grossi, ses traits étaient plus mous, et surtout son visage devenu veule affichait une moue amère et insatisfaite. Une expression à laquelle répondait bien celle de la femme assise à côté de lui.

Rosalie ? Etait-ce bien elle ? Sur le coup, elle eut du mal à reconnaître dans la grosse femme outrageusement fardée à côté de David la jolie nymphe qui lui avait ravi son mari.

— C'est lui ? lui demandait à présent son cavalier à voix basse.

Elle inclina la tête affirmativement.

— Et la fille à côté ?

— C'est Rosalie, sa femme.

— Eh bien, il a perdu au change ! chuchota Jack de manière à n'être entendu que d'elle.

A présent qu'ils étaient tout proches, Olympia réalisa qu'il y avait six personnes à leur table : en plus du couple se trouvaient les beaux-parents de David ainsi que deux messieurs. Des relations d'affaires, sans doute. L'un des deux invita Rosalie à danser et celle-ci se leva, tout sourire, pour le suivre sur la piste.

Olympia crut déceler du soulagement dans ce sourire, comme si danser lui évitait de rester en compagnie de son mari. David, de son côté, avait suivi sa femme des yeux avec un regard plein d'aigreur.

Un moment après, au hasard de la danse, Olympia se trouva soudain tout près de Rosalie. Celle-ci la balaya du regard sans la voir, mais ses yeux se posèrent sur Jack, et une lueur d'intérêt les anima aussitôt. Son cavalier l'entraînant, elle tourna la tête pour ne pas le perdre des yeux, et ce ne fut qu'à cet instant qu'elle vit réellement Olympia. Alors, l'incrédulité se peignit sur son visage bouffi, vite remplacée par une expression presque outragée.

— Si elle ne vous avait pas reconnue, maintenant c'est fait ! chuchota Jack.

A cet instant, la musique se tut, et tous les danseurs regagnèrent leur place. Tous sauf Jack qui, sans faire mine de libérer Olympia, attendit que l'orchestre reprenne. Cela ne tarda pas, et d'autres couples envahirent la piste.

A leur table, David écoutait Rosalie qui lui parlait avec animation, montrant la piste du doigt. Quelques instants après, il se dressa pour faire danser sa femme.

— Elle lui a dit que vous étiez là, chuchota Jack. Maintenant, il veut s'assurer que c'est bien vous. Regardez, ils cherchent à s'approcher de nous.

— Oh non ! s'exclama Olympia, étouffant sa voix contre l'épaule de son compagnon.

— Comment cela, non ? C'est votre moment de triomphe au contraire ! Regardez-les, ils sont tristes, sinistres, vieillis avant l'âge parce qu'ils s'ennuient. Et vous, vous êtes belle comme le jour, radieuse, et tous les hommes vous regardent avec envie. Leur vie est ratée, minable. La vôtre s'étend devant vous, pleine de promesses.

— C'est vrai, oui, souffla Olympia gagnée par l'optimisme de son compagnon.

Celui-ci reprit, toujours tout contre son oreille :

— Et maintenant, faites-lui regretter de vous avoir quittée ! Gardez la tête haute, et montrez-lui combien vous êtes heureuse.

Dieu comme cet homme la comprenait ! Olympia réprima un frisson d'excitation à sentir combien leurs esprits autant que leurs corps étaient à l'unisson, tandis que lentement, très lentement, son cavalier se rapprochait tout en dansant de l'homme qui jadis avait brisé son cœur.

Quand ils furent assez proches, elle eut la satisfaction de voir le visage de David se décomposer en la reconnaissant. Pour qu'il n'ait aucun doute sur ce que lui montraient ses yeux, Jack se mit à

78

évoluer sur place, la faisant tourner au rythme de la musique en se déplaçant à peine.

— Levez votre visage vers moi, murmura-t-il.

Elle obéit, et aussitôt il prit ses lèvres.

De stupeur autant que d'émoi, Olympia faillit trébucher, mais Jack la maintenait fermement, de sorte que bientôt elle répondit à son baiser avec une ardeur dont elle ne fut plus maîtresse.

Ce baiser ne signifiait pas grand-chose, elle le savait dans une partie restée lucide de son cerveau. Son partenaire l'aidait seulement à bien montrer à son ex-mari qu'elle était capable de vivre sans lui. En fait, Jack Cayman se comportait en véritable ami, il n'y avait pas à se méprendre sur ses intentions. Il lui fallait au contraire garder la tête froide, ignorer ce feu brûlant qui venait de naître au creux de ses reins…

— Il nous regarde ? demanda-t-elle dans un souffle tout contre ses lèvres.

— Les yeux lui sortent de la tête, murmura-t-il, et sa femme est aussi médusée que lui. On va leur donner encore de quoi les convaincre : Embrassez-moi comme… comme si vous étiez amoureuse !

— D'accord !

Levant les bras pour les nouer autour du cou de son partenaire, elle l'attira plus étroitement contre elle, l'obligeant doucement à abaisser son visage, prête à lui offrir ses lèvres, ardente, impatiente de sentir les siennes.

Jack avait abandonné sa main pour la tenir par la taille, et il la serrait si fermement à présent que, même si elle y avait songé, elle n'aurait pas pu lui résister. Mais elle n'en avait pas envie, oh non ! Tout son corps s'offrait, comme si inconsciemment elle rêvait depuis toujours d'être ainsi merveilleusement captive entre ses bras.

Si seulement ils étaient seuls, au lieu d'être exposés à tant de regards ! Alors elle aurait cédé à cet ineffable besoin de le toucher, de le caresser, de… de se l'approprier tout en se donnant complètement à lui. Pour l'instant il ne s'agissait que d'un baiser, mais elle aurait aimé qu'il ne s'arrête jamais…

Hélas, Jack dégagea doucement son visage, juste assez pour que la tête d'Olympia s'incline en arrière et que leurs yeux se croisent.

Soudain, la musique s'arrêta. Des lumières s'allumèrent, balayèrent la salle et s'immobilisèrent sur eux. Aussitôt, des flashes crépitèrent et des applaudissements retentirent. Autour de la piste, les gens s'étaient levés, ils criaient et riaient tout en frappant dans leurs mains, tandis que les bouchons de champagne fusaient.

— Que se passe-t-il ? balbutia-t-elle, le souffle court.

— Je… je ne comprends pas bien, répondit Jack.

Il semblait surpris, comme si quelque chose lui échappait.

Ils virent alors approcher un homme en habit scintillant.

— Bravo, dit-il à leur adresse en s'inclinant, vous êtes nos gagnants de ce soir.

— Gagnants de quoi ? demanda Olympia qui n'était pas encore bien retombée sur terre.

— Vous êtes les amoureux de la soirée, expliqua le maître de cérémonie. En cette semaine de la Saint-Valentin, nous élisons tous les soirs un couple pour être nos amoureux fétiches de la soirée.

— Mais nous ne sommes pas…, tenta de rectifier Olympia, qui renonça vite tant les gens faisaient de bruit en applaudissant de plus belle.

Elle se tourna vers son compagnon, éberluée.

— Qu'est-ce qu'on fait ?

— Contre mauvaise fortune bon cœur, lui murmura Jack à oreille. Leur donner ce qu'ils attendent : le spectacle d'un couple amoureux. Dès que nous le pourrons, nous filerons. Souriez, il ne faut pas les décevoir.

— Un baiser, un baiser ! scandait à présent l'assistance.

— Mais Jack…

— Ne les décevons pas, insista celui-ci avec un tendre sourire. Et sans attendre, il reprit sa bouche.

80

De nouveau, Olympia s'abandonna au baiser de son compagnon sous les applaudissements nourris de la foule. Et quand celui-ci abandonna ses lèvres, son regard effleura par hasard le visage de David : un visage figé par l'envie et par l'amertume.

Oui, elle avait eu sa revanche ! eut-elle le temps de songer avant que le maître de cérémonie ne les invite à le suivre.

Olympia obéit comme dans un rêve.

L'homme les conduisit à une table dressée sur une estrade au milieu de la salle et les fit asseoir. Il fit sauter le bouchon d'une bouteille de champagne, et Jack et elle trinquèrent sous les applaudissements nourris de l'assistance. Puis, imposant le silence d'un geste, leur hôte prit la parole.

— C'est le moment pour vous de choisir le prix que nous décernons tous les soirs aux heureux gagnants ! Nous vous proposons une semaine pour deux dans un centre de thalassothérapie de grand luxe, ou bien des bons importants dans des grands magasins de Londres, ou encore cinq jours à deux dans la ville européenne de votre choix, avion et hôtel compris, évidemment. Que décidez-vous ?

Jack se tourna galamment vers Olympia.

— A vous de choisir, très chère. Les bons dans les grands magasins me paraissent une excellente idée. Vous vous offrirez tous les vêtements qui vous plaisent.

— Oh non, rétorqua-t-elle aussitôt, j'ai une bien meilleure idée : le séjour dans une ville d'Europe.

— Splendide ! s'exclama le maître de cérémonie. Et quelle ville choisissez-vous ?

Elle adressa à Jack son plus beau sourire.

— Naples, déclara-t-elle.

— Si nous parlions de Naples ? dit doucement son compagnon un peu plus tard en la ramenant chez elle

— Le maître de cérémonie m'a dit que l'hôtel Vallini était le meilleur de la ville. Vous le connaissez ?

— Bien sûr. Il est sur la colline du Vomero, et l'on y jouit d'une vue magnifique sur la baie. Il coûte aussi une fortune.

Olympia poussa un soupir d'aise.

— Parfait. C'est exactement ce qu'il me faut.

— Vous ne songez pas sérieusement à aller à Naples, tout de même ? interrogea Jack avec une inquiétude perceptible.

— Nous en reparlerons un peu plus tard, se contenta-t-elle de rétorquer.

Cette fois, Jack la raccompagna jusque dans son appartement, et quand tous deux furent installés dans le salon, elle reprit la conversation.

— Ne vous en déplaise, j'ai bien l'intention d'aller à Naples et de séjourner dans cet hôtel, déclara-t-elle, regardant Jack droit dans les yeux. J'ai beaucoup de vacances en retard, car je n'en ai pas pris depuis très longtemps.

Son compagnon se racla la gorge.

— Ce n'est pas une bonne idée, je vous assure.

— Au contraire ! J'y vois même la main du destin. J'ai réfléchi, Jack. J'ai beaucoup retourné dans ma tête la façon dont les choses évoluent…

— Et à quelles conclusions parvenez-vous ? demanda l'interpellé nerveusement.

— Vous connaissez mon objectif, et combien je suis déterminée à le remplir. Pour cela, il faut que je connaisse Primo Rinucci. Or il ne viendra pas en Angleterre, je le vois clairement à présent. C'est donc moi qui irai à lui.

Jack sursauta.

— Comment cela ?

— Je vous ai parlé du destin : j'en vois la marque dans ce voyage que nous avons gagné ce soir. J'irai à Naples. Et si je n'y rencontre pas le *signor* Rinucci, je perfectionnerai mon italien et me familiariserai avec la ville. Ça me sera toujours utile pour plus tard.

— Mais vous vouliez prendre la direction de Curtis ? s'étonna Jack. Elle était là, votre ultime ambition, non ?

— Disons que je commence à penser « international », comme vous me l'avez conseillé, rétorqua-t-elle avec un petit rire malicieux. Mon horizon ne se limite plus à l'Angleterre. Si je joue bien mes cartes avec Primo Rinucci, peut-être me proposera-t-il de plus hautes responsabilités ailleurs dans le monde ?

Primo n'en menait pas large à présent. Ce qui avait commencé comme une plaisanterie risquait de tourner au drame si Olympia allait à Naples et découvrait le pot aux roses. Mais comment la dissuader d'y aller ?

Il essaya un autre angle d'attaque.

— Je comprends vos raisons, Olympia, mais que faites-vous de ce qui est en train de se produire entre nous ? Car vous ne nierez pas que ce soir...

Elle le coupa brutalement :

— Ce soir, nous avons flirté très agréablement. C'est tout à fait charmant, mais sans conséquence, et demain nous nous en souviendrons à peine. C'est bien ainsi que nous en sommes convenus, non ?

— Je ne me rappelle pas être convenu de quoi que ce soit avec vous.

— J'ai pourtant toujours été honnête : vous connaissiez ma façon d'envisager les choses, et vous l'avez acceptée.

— Dans ce cas, j'espère seulement que vous ne tarderez pas à les envisager autrement, car je ne pense pas être le seul à éprouver ce que j'éprouve. Regardez-moi dans les yeux et dites-moi en face que vous ne ressentez rien pour moi !

— Comment pourrais-je le dire, après ce qui s'est passé ce soir, soupira Olympia. Cependant, je vous jure une chose : cela ne se reproduira plus. Je sais trop les risques qu'il y a à se laisser aller à ses sentiments ! J'ai failli en perdre la raison une fois ! Désormais, je vous l'ai dit, je suis dure et froide, et c'est ainsi que je veux rester !

Elle avait parlé avec force, comme si elle cherchait à se convaincre elle-même, mais elle ne convainquit certainement pas Primo qui riposta du tac au tac :

— En tout cas, vous n'étiez ni dure ni froide ce soir, quand je vous ai embrassée.

— Je vous le répète, cela ne se reproduira plus.

— Ne parlez pas ainsi ! s'écria-t-il avec une sorte de fureur. Et sans plus attendre, il attira la jeune femme dans ses bras pour prendre ses lèvres.

Tout d'abord, il la sentit se raidir, puis sitôt que sa langue eut entrouvert sa bouche, elle fondit contre lui pour n'être plus que chaleur, ardeur et douceur consentantes.

— Dites que vous aimez que je vous embrasse, murmura-t-il tout contre ses lèvres, quand enfin il reprit son souffle.

— Oui, j'aime, articula-t-elle, l'embrassant à son tour, et l'embrassant encore et encore avec fougue, comme si son esprit avait cessé de fonctionner et qu'elle se livrait tout entière à la vague de désir qui la submergeait.

— Vous voulez partir à Naples quand il se passe tant de choses merveilleuses entre nous, souffla-t-il.

— C'est justement à cause de cela que je veux partir, répliqua Olympia qui venait de retomber brutalement sur terre. J'ai peur de mes sentiments, Jack. Je sais trop où ils m'ont conduite la première fois.

— Avec moi, vous ne risquez rien.

— Vous le dites, mais j'ai si peur. Je préfère mettre de la distance entre nous.

Olympia avait changé de ton. On aurait dit qu'elle refoulait ses larmes.

Primo la contempla un moment, réfléchissant à toute vitesse.

— Je vais m'absenter un court moment, déclara-t-il une fois sa décision prise. Attendez-moi, je vous prie. Cette discussion n'est pas terminée.

En réalité, il voulait donner quelques coups de téléphone à l'insu d'Olympia et se contenta de descendre dans le hall de l'immeuble, deux étages plus bas.

Là, de son portable, il commença par appeler Cedric Tandy.

— Cedric ? Désolé de vous tirer du lit à une heure pareille, mais j'aimerais que vous me rendiez un inestimable service…

La communication fut brève, et Primo avant de raccrocher dit encore :

— Vous me sauvez la vie, Cedric. Je vous le revaudrai d'une manière ou d'une autre. A présent, bonne nuit.

Il appela ensuite Enrico Leonate à Naples. Son associé ne cacha pas son irritation d'être réveillé en pleine nuit, mais il finit par accepter ce qu'il lui demandait, et un quart d'heure plus tard, Primo remontait auprès d'Olympia.

— Voilà, lui expliqua-t-il, j'avais un rendez-vous téléphonique tardif avec ma direction, à Naples, et j'en ai profité pour parler de vous à Leonate. Il veut absolument que je vous ramène avec moi afin de faire votre connaissance et peut-être vous garder quelque temps pour travailler au siège.

Olympia parut abasourdie et réfléchit quelques instants.

— Il faudrait que je reste longtemps là-bas ? demanda-t-elle.

— Un ou deux mois au plus, j'imagine, puis vous prendrez votre décision : soit vous reviendrez ici pour diriger Curtis si vous le désirez toujours, et dans ce cas votre expérience napolitaine vous sera très utile, soit vous pourrez décider de rester à Naples où on vous donnera sans difficulté un poste définitif.

— Et vous ? Où serez-vous pendant tout ce temps ?

— Je rentre à Naples avec vous et j'y resterai le temps de vous mettre le pied à l'étrier, mais je ne m'installerai pas à l'hôtel Vallini. J'ai un appartement en ville, j'y retournerai.

Olympia parut interdite : quelque chose visiblement lui échappait.

— Mais si vous ne restez pas ici et que je suis à Naples, qui va s'occuper de Curtis, puisque Cedric doit partir à la retraite ?

— J'ai prévu une clause dans les modalités de son départ, répliqua précipitamment Primo. La direction de Leonate doit pouvoir faire encore appel à lui pendant six mois à temps partiel, à dater de la date de sa mise en retraite. J'avais ajouté cette clause pour me laisser le temps de lui trouver un remplaçant au cas où vous ne prendriez pas sa suite. Maintenant que tout est clair, reprit-il après un temps de silence, je vais vous laisser. On se retrouve demain matin au bureau à la première heure pour régler les détails de notre départ. Votre passeport est en règle, j'imagine ?

— Bien sûr, répliqua automatiquement Olympia, de l'air de quelqu'un dont la tête commence à tourner.

— Ah, une dernière chose ! dit-il encore. Appelez demain le directeur du Perroquet Bleu pour l'informer que nous partons dans deux jours, et qu'il fasse envoyer nos billets d'avion au bureau. Et maintenant, je vous souhaite une bonne nuit.

Cet homme menaçait sa paix intérieure, elle avait voulu le fuir en choisissant ce voyage à Naples parmi les différents prix qui lui étaient offerts, mais il s'était débrouillé pour reprendre le contrôle de la situation. Elle irait à Naples, certes, mais selon ses termes à lui. Etait-ce prudent ? Certainement pas.

Et pourtant, l'avenir n'avait jamais paru aussi excitant.

7.

— Le voilà, regardez-le ! s'exclama Primo quand le Vésuve apparut dans le hublot. Voyez comme il est beau !

— Quelle majesté ! souffla Olympia, éblouie. Il est plus magnifique encore que je ne l'imaginais.

L'avion effectua un ample quart de tour, et les lumières de Naples apparurent, éparpillées le long de la baie comme deux bras immenses enserrant la mer. Quelques minutes plus tard, l'appareil se posait sur la piste.

Suivit le trajet en taxi jusqu'à l'hôtel Vallini, dressé à flanc de colline et dominant à la fois la ville et la mer.

Dès qu'elle en eut franchi l'imposante porte, Olympia se sentit plongée dans un univers de luxe et de beauté qui la ravit. Jack s'occupa des formalités à la réception, puis un employé en uniforme les conduisit dans la suite réservée par le Perroquet Bleu.

Il s'agissait d'une chambre immense où trônait un très grand lit double à colonnes anciennes, avec une salle de bains attenante entièrement tapissée de marbre. Enfin, il y avait un petit salon luxueusement meublé dont le balcon surplombait la baie.

Accoudée à la balustrade, Olympia contemplait le somptueux panorama, en plein conte de fées, quand son compagnon lui annonça :

— Je vous abandonne deux heures, le temps de passer à mon appartement. Ensuite, je reviens vous chercher pour vous emmener découvrir la ville.

Les deux heures passèrent à une vitesse incroyable. Elle commença par prendre un long bain parfumé puis rangea ses affaires dans les grands placards dont la chambre était équipée, et enfin se prépara pour la soirée.

Elle achevait de se maquiller quand Jack reparut et l'entraîna hors de l'hôtel.

— Je suis heureux de vous faire découvrir Naples, lui dit-il sitôt qu'il fut installé au volant de sa voiture de sport. Mais nous ne garderons pas longtemps la voiture, car Naples s'explore beaucoup mieux à pied, tout au moins la vieille ville.

Et de fait, ils se promenèrent longuement dans les étroites ruelles, s'arrêtant pour admirer sur leur passage les églises et les palais baroques dont la ville est si riche. Puis, quand la fatigue se fit sentir, ils trouvèrent une toute petite trattoria où Olympia se régala de spaghettis et de poisson frais.

Toute la soirée, elle s'efforça de parler italien, pour le plus grand bonheur de Jack que son accent étranger amusait beaucoup.

— Vous progressez vite, lui assura-t-il au moment du dessert. Vous n'aurez aucun mal à vous exprimer quand vous commencerez à travailler.

— Quand comptez-vous m'emmener au siège de Leonate ? voulut-elle savoir.

— Rien ne presse, répondit vivement son compagnon. Prenons quelques jours de vacances, ensuite je vous présenterai à Enrico. Ainsi qu'à Primo Rinucci, ajouta-t-il comme s'il lui venait une arrière-pensée.

— Bien sûr, murmura-t-elle. Vous avez raison, rien ne presse, ne parlons pas de lui ce soir. Je ne veux surtout pas penser au travail.

Un peu plus tard, ils repartirent errer dans les ruelles. Il faisait très doux, et les gens discutaient avec animation sur le pas de leurs portes. A la grande surprise d'Olympia dont c'était la première visite dans un pays latin, personne ne semblait pressé de rentrer chez soi malgré la soirée déjà avancée. Cependant, elle-même se sentait lasse, et elle l'avoua à son compagnon qui prit aussitôt la direction du parking où était garée la voiture.

Il la reconduisit sans hâte à son hôtel où il l'escorta jusque dans son appartement.

— Couchez-vous et dormez vite, lui dit-il, je passerai vous voir tôt demain matin pour que nous établissions le programme de la journée. J'ai tant de choses à vous montrer !

Sur ces mots, il lui prit la main et l'entraîna sur le balcon.

Une lune majestueuse scintillait sur la mer.

Olympia demeura sans voix, les larmes aux yeux devant ce spectacle d'une ineffable beauté.

C'est alors que le téléphone portable de Jack fit entendre sa sonnerie, rompant le charme. Celui-ci marmonna un juron et regagna hâtivement la chambre pour répondre. Peu après, elle l'entendit pousser une exclamation irritée. A son tour, elle retourna dans la chambre et entendit la fin de la conversation.

— D'accord, Cedric, disait Jack dans son téléphone, mais surtout cessez de vous faire des reproches : vous n'y êtes pour rien. Je serai sur place demain et réglerai la situation au mieux.

— Vous repartez à Londres ? lui demanda-t-elle anxieusement quand il eut raccroché.

— Pour quelques jours, oui. Vous rappelez-vous un certain Norris Banyon ?

— Parfaitement. Il a été un de nos comptables pendant quelque temps, et sans que rien ne le laisse prévoir, il a donné sa démission à peu près au moment où Leonate a repris Curtis.

— Il avait en effet de bonnes raisons pour disparaître ! Il truquait les bilans à l'insu de tout le monde, et il est parti avec un joli magot ! Notre service d'audit vient juste de découvrir le pot aux roses, et Cedric est aux cent coups.

— Il a détourné beaucoup d'argent ? demanda-t-elle vivement.

— Pas mal, mais nous nous en remettrons, n'ayez crainte, répliqua son compagnon avec un sourire. Néanmoins, ce pauvre Cedric s'estime responsable et en est malade. Il faut que je me rende sur place pour gérer avec lui cette situation de crise, le temps de réorganiser le service comptabilité.

Comme elle faisait la moue, il ajouta :

— Il a besoin que je le soutienne dans cette épreuve. Comme vous le savez certainement, il a perdu sa femme l'an dernier. Il n'a pas d'enfant ni de famille proche, donc personne pour l'épauler. Il appréciera ma présence.

Cette fois, Olympia le dévisagea, éberluée. Elle ignorait que Cedric avait perdu sa femme.

— C'est vraiment gentil à vous, dit-elle, et puisqu'il en est ainsi, je vous accompagne à Londres.

— Certainement pas, répliqua vivement Jack.

— Pourquoi ? Je pourrai vous être utile, puisque j'étais l'assistante de Cedric.

— Il ne voudrait sûrement pas que vous sachiez ce qu'il a laissé commettre. Il vaut beaucoup mieux que vous restiez ici, Olympia. Jouez les touristes, découvrez la ville, et je serai de retour si vite que vous ne vous serez même pas aperçue de mon absence.

Sur ces mots, il consulta sa montre.

— Il y a un avion pour Londres demain matin à l'aube. J'espère pouvoir le prendre. Je vous laisse à présent.

Demeurée seule, Olympia dut prendre sur elle pour ne pas pleurer.

Bien sûr, elle était déçue mais, pire que cela, elle se sentait abandonnée, seule au monde. Elle promena un regard indifférent sur le luxe qui l'environnait. En d'autres circonstances, elle se serait trouvée privilégiée de pouvoir en profiter… Mais à présent qu'elle était seule, elle s'en sentait incapable.

L'homme qui occupait maintenant toutes ses pensées l'appela le lendemain soir pour la rassurer sur la situation chez Curtis. La situation, lui dit-il, était moins dramatique que ne l'avait laissé entendre Cedric.

90

— Je ne m'éterniserai pas en Angleterre, assura-t-il. Encore quelques jours et je serai de retour. Mais parlez-moi de vous. Qu'avez-vous fait aujourd'hui ?

A sa grande honte, Olympia n'était pas sortie de l'hôtel, trop mélancolique pour partir seule à la découverte de Naples. Elle ne l'expliqua pas dans ces termes à Jack mais lui dit que, le voyage l'ayant un peu fatiguée, elle avait préféré se contenter de travailler son italien, s'était fait monter les journaux et les avait déchiffrés avec l'aide de son dictionnaire.

Primo ne put s'empêcher de rire et lui conseilla vivement de visiter la ville le lendemain.

Malgré son vague à l'âme, elle suivit son conseil, mais le cœur n'y était pas. Elle avait l'impression d'errer sans but au gré des ruelles, incapable de s'intéresser à ce qu'elle voyait. Le soir, elle s'efforça de retrouver la petite trattoria où ils avaient dîné ensemble après leur arrivée. Quand elle y fut, elle demanda la table qu'ils avaient occupée et se laissa aller à sa nostalgie.

Dire qu'elle avait sincèrement cru qu'elle devait fuir Jack Cayman ! A présent qu'il n'était plus là, la vie n'avait plus aucun sens. Désir, ambition, réussite, tous ces mots étaient devenus vides de signification, désormais. Jamais, non, jamais, elle n'avait autant ressenti l'absence de quelqu'un !

Mais il fallait faire contre mauvaise fortune bon cœur, et les jours qui suivirent, elle s'occupa tant bien que mal. Elle loua une voiture pour aller visiter Pompéi. Si la ville antique si bien conservée l'émerveilla, elle fut sans cesse taraudée par un regret : pourquoi Jack n'était-il pas avec elle pour profiter de cette visite ? La même pensée la hanta quand elle s'en fut à Sorrente, de l'autre côté de la baie, et les forêts de citronniers et d'orangers ne parvinrent pas à lui faire oublier combien elle était seule et abandonnée sans lui.

Le jour suivant, enfin, elle s'aventura au volant de sa voiture de location dans la ville moderne avec l'idée plus ou moins avouée d'aller repérer le siège de Leonate Europa.

Elle en connaissait l'adresse, évidemment, mais dans le dédale des rues encombrées, ce fut tout de même par un coup de chance qu'elle y arriva. Le désir la tenaillait maintenant de rentrer dans l'immeuble de bureaux et de se présenter. Elle descendit donc garer sa voiture dans le parking souterrain de l'immeuble et réfléchit quelques instants après avoir coupé le moteur.

Après tout, quel mal y aurait-il à demander à voir Enrico Leonate, s'il était là ? Elle avait signé un contrat avec la holding, non ? Et puis, avec un peu de chance, peut-être… Oui, peut-être la présenterait-on enfin à Primo Rinucci ?

Cette dernière perspective qui l'aurait fait bondir de joie une semaine plus tôt lui arracha à peine un sourire. Que lui importait maintenant de connaître le grand patron de Leonate ? Une seule personne au monde comptait pour elle : Jack Cayman, et elle n'attendait qu'une chose : son retour.

Alors, avec une infinie tristesse, elle remit sa voiture en marche.

Quand elle sortit du parking, il était près de 17 heures et la circulation était à son comble. Voitures et deux-roues surgissaient de toutes parts à vive allure, klaxons bloqués : il en arrivait de droite, de gauche, les gens sur les trottoirs bondissaient de côté, hurlaient des insultes. Bref, habituée qu'elle était à la paisible circulation anglaise, Olympia ne sut bientôt plus très bien où elle en était.

Elle tentait tant bien que mal de s'insérer dans une file de voitures à quelques mètres seulement de l'immeuble de Leonate Europa, quand le véhicule derrière elle se mit à klaxonner. Surprise, elle voulut se ranger rapidement sur le côté, rata sa manœuvre, marmonna un juron tandis qu'un concert d'avertisseurs s'élevait, tenta de reculer d'un mètre et vit alors dans son rétroviseur une silhouette masculine qui disparut aussitôt.

— Oh non ! s'exclama-t-elle, tirant vivement le frein à main pour sortir d'un bond de sa voiture. Qu'ai-je fait ?

— Vous m'avez renversé, dit l'homme qui gisait par terre.

Heureusement, sa voix était normale, et il semblait même plutôt amusé.

— Je vous ai fait mal ? demanda-t-elle anxieusement.

— Vous non, mais le bord du trottoir, oui, déclara-t-il en se remettant debout. Je n'aurais jamais cru qu'il soit si dur, ajouta-t-il en se frottant le genou avec énergie, montrant ainsi qu'il n'était pas gravement atteint.

Olympia réprima avec peine un soupir de soulagement. Comme le concert d'avertisseurs croissait derrière eux, elle lui cria, forçant sa voix pour se faire entendre :

— Il faut que je file, mais je ne vais pas vous laisser ainsi. Montez dans ma voiture.

— Dans ce cas, laissez-moi prendre le volant, lui dit sa victime. Je connais bien Naples, et mieux encore les chauffeurs napolitains. Vous n'êtes pas d'ici, j'imagine ? Votre accent vous trahit.

— Et vous ne l'êtes pas non plus, je m'en rends compte pour les mêmes raisons, rétorqua-t-elle du tac au tac. Vous êtes anglais ?

— Disons que je l'ai été autrefois. Aujourd'hui, je ne sais plus très bien ce que je suis, mais en tout cas j'habite Naples.

Une fois dans la voiture, l'homme dit encore :

— Si nous nous présentions ?

— Olympia Lincoln.

— Luke Cayman.

Olympia demeura interdite.

— Cayman ? répéta-t-elle. Vous êtes parent avec Jack Cayman ?

Son chauffeur la regarda avec surprise mais ne répondit pas tout de suite : une voiture de sport venait de leur faire une vilaine queue-de-poisson, l'obligeant à freiner brutalement tout en lâchant un chapelet de jurons napolitains inconnus des dictionnaires.

*
* *

Le temps que tout rentre dans l'ordre et qu'il recouvre son calme, Luke commençait à entrevoir pourquoi sa passagère lui avait posé cette insolite question.

Son frère Primo avait certainement une fois de plus fait des siennes ! Ce ne serait pas la première fois qu'il emprunterait l'identité de leur père décédé. Mais pourquoi et comment ? C'était la question à mille euros dont il allait bien s'amuser à découvrir la réponse.

— Pardon ? dit-il à la jeune femme. Quel nom avez-vous dit ?

— Jack Cayman. Il travaille pour Leonate Europa, je l'ai rencontré en Angleterre. Vous êtes sûrement parents ? Deux Anglais portant le même nom et vivant à Naples, ça ne peut pas être une coïncidence.

Primo utilisait en effet parfois le nom de leur père quand il allait en Angleterre s'occuper de ses affaires. C'était plus simple, disait-il : les gens retenaient mieux ce nom anglais que celui de Rinucci qu'il était constamment obligé d'épeler. Il n'y avait donc peut-être rien de louche à ce que cette jeune femme le connaisse sous ce nom-là…

— Je pense qu'il s'agit de mon frère, en effet, déclara lentement Luke. Nous sommes tous deux anglais d'origine.

— Et vous travaillez pour Leonate, vous aussi ?

— Non, pas du tout, cependant je suis en affaires avec la holding. J'en sortais d'ailleurs quand votre voiture m'a heurté. Jack et moi nous voyons peu parce qu'il voyage beaucoup.

Stupéfaite et ravie, Olympia voulut le questionner sur son frère, mais il ne lui fit que des réponses vagues et proposa rapidement de s'arrêter dans un café où ils pourraient parler plus confortablement. Il ajouta en riant :

— Après la peur que j'ai eue à cause de vous, j'ai besoin de me remonter.

*
**

94

Olympia avait du mal à croire que cet homme ait eu peur : il semblait si solide, si équilibré. Et il était charmant aussi, et même beau… Bien que sans aucune ressemblance avec son frère.

La première question qu'il lui posa quand ils furent installés à la terrasse d'un café, fut :

— Je vous ai vue sortir du parking de Leonate. Qu'y faisiez-vous ? Vous travaillez pour eux ?

Elle hésita.

— Euh… pas exactement. Je dirige le département de gestion chez Curtis, en Angleterre, et nous avons été repris par Leonate. C'est ainsi que j'ai fait la connaissance de votre frère.

A cet instant, une femme d'un certain âge se matérialisa devant leur table, et Luke se dressa d'un bond.

— *Mamma !* s'exclama-t-il, en la serrant sur son cœur avec l'exubérance typique des Italiens.

L'inconnue le serra à son tour, puis se dégageant, feignit un air de reproche :

— Voilà plusieurs jours que j'essaie de t'appeler, Luke, et tu ne réponds jamais au téléphone ! A présent, si tu me présentais à ta jolie amie ?

Luke s'exécuta, et Olympia apprit que la nouvelle venue était sa mère — la mère de Jack aussi ? Il ne le précisa pas. C'était une très belle femme d'une petite soixantaine d'années, avec un port de reine et une silhouette mince et élancée, que mettait en valeur une tenue sport très chic sortant visiblement d'un excellent faiseur.

La dame lui serra la main tout en la dévisageant d'un regard aigu. Mais ce qu'elle vit dut lui plaire parce que, aussitôt son inspection finie, elle afficha un sourire heureux.

— Prends donc un café avec nous, *mamma*, proposa son fils.

— Je n'en ai hélas pas le temps, soupira sa mère, levant les yeux au ciel avec un faux air de martyre. Je suis littéralement débordée ! Ce soir, je donne une fête à la villa, j'espère que tu ne l'as pas oublié ?

Et elle ajouta à l'adresse d'Olympia :

— C'est une fête familiale. J'aimerais beaucoup que vous nous fassiez le plaisir de venir, mademoiselle.

Olympia baissa les yeux, rouge de confusion.

— Je... Je n'oserais pas. Surtout si c'est une réunion de famille.

— Mais si au contraire, venez, renchérit la mère de Luke qui se tourna vers son fils pour ajouter sur un ton qui n'admettait pas la réplique : tu m'entends, mon garçon ? Il faut impérativement que tu nous amènes cette jolie personne ce soir.

— *Mamma !* s'exclama Luke, se prenant la tête dans les mains Tu ne changeras donc jamais ?

La dame ne l'entendit même pas : elle dévisageait de nouveau Olympia, et cette fois son regard était franchement admiratif.

— J'ai hâte de vous voir en robe du soir, dit-elle comme si elle se parlait à elle-même. Mais si vous n'en avez pas, portez exactement ce que vous voulez, pourvu que vous veniez ce soir.

Sur quoi elle embrassa son fils et partit en hâte.

— *Mamma* est adorable, mais il faut absolument qu'elle dirige le monde, soupira Luke dès qu'elle se fut éloignée. Impossible de ne pas en passer par où elle veut.

— Elle s'est montrée très accueillante, fit valoir Olympia.

Luke haussa les épaules comme s'il préférait réserver son avis sur l'amabilité de sa mère.

— Vous m'accompagnerez ce soir, n'est-ce pas ? se contenta-t-il de déclarer. Ne serait-ce que pour lui faire plaisir. Elle n'aime pas que ses fils viennent chez elle seuls. Elle nous accuse, mes frères et moi, de ne sortir qu'avec des filles qu'un homme n'oserait pas lui présenter.

Olympia se mit à rire.

— Est-ce vrai ? demanda-t-elle.

Luke s'éclaircit la gorge.

— Je préfère ne pas répondre, finit-il par avouer avec un clin d'œil de connivence. D'ailleurs, avouez que je suis mal placé pour en juger. Quoi qu'il en soit, venez avec moi ce soir, je vous en supplie. Vous ferez plaisir à ma mère, et moi je serai le plus heureux des hommes !

— D'accord, je viendrai, accepta Olympia, riant toujours.

Ce serait mieux que de passer la soirée seule à attendre le retour de Jack ! Elle avait essayé sans succès de l'appeler ce matin, mais il semblait qu'il avait coupé son téléphone portable.

Elle retourna au Vallini où elle passa le reste de l'après-midi à se préparer pour le soir. Elle porterait la robe noire achetée pour la soirée au Perroquet Bleu, c'était décidé. Elle descendit chez le coiffeur de l'hôtel faire coiffer ses cheveux en un élégant chignon et, une fois remontée chez elle, tenta encore d'appeler Jack sans plus de succès.

Pourquoi cet étrange silence ? se demanda-t-elle, le cœur soudain serré. Ah, si seulement il était avec elle et l'accompagnait à la réception donnée par sa mère !

Luke était charmant, mais elle s'intéressait à lui surtout parce qu'il était le frère de Jack, et connaître un peu leur famille était en partie ce qui l'avait incitée à accepter l'invitation de ce soir.

Le regard admiratif de Luke quand il vint la chercher lui mit un peu de baume au cœur.

— Ma mère vous trouvera si belle qu'elle va fantasmer sur notre relation ! lui dit-il en riant.

Sans relever, elle prit place dans sa voiture.

— La maison de vos parents est loin d'ici ? voulut-elle savoir.

— Elle est un peu au-dessus de la ville, à dix minutes environ.

De fait, elle apparut bientôt, majestueuse, dressée à flanc de coteau, et toute illuminée en ce soir de fête. Derrière elle s'élevait le Vésuve, imposant et splendide.

— Quand on est chez nous, on a l'impression que le volcan est tout près, dit Luke qui avait suivi son regard. On se dit toujours que s'il crachait un peu de lave, nous la recevrions sur la tête.

— Pensez-vous qu'il y ait toujours un risque d'éruption ? demanda-t-elle.

— La dernière remonte à 1960. Le père de Toni, le mari de ma mère, en a été témoin. Quand nous étions enfants, et même maintenant encore, il adorait nous raconter comment les flammes s'élevaient au-dessus du cratère. Il paraît que toute la campagne était illuminée. Quant aux risques que cela se reproduise, comment savoir ? Depuis des siècles, la population de Naples vit avec cette menace et s'en accommode.

Ce fatalisme étonna Olympia, mais elle n'en dit rien. D'ailleurs ils étaient arrivés, et Luke garait la voiture dans la cour de la luxueuse villa.

Ils n'étaient pas encore sortis du véhicule que sa mère apparut pour les accueillir. Voyant Olympia, elle ne cacha pas sa joie.

— Vous êtes belle comme le jour, ma chérie, s'exclama-t-elle. Venez vite que je vous présente aux autres membres de la famille.

Comme Olympia pénétrait dans la maison, Hope retint un instant Luke par la manche pour lui murmurer :

— Quelle ravissante épouse elle ferait !

— Allons, *mamma*, tu la connais à peine ! Tu ne peux pas savoir si c'est une femme qui me conviendrait !

— Je sens ces choses-là ! Elle est exactement la belle-fille dont j'ai toujours rêvé.

— Au quel de tes fils la destines-tu ? demanda Luke avec malice.

— C'est à elle de choisir. Elle prendra celui qu'elle voudra.

— Ah non, s'exclama-t-il, feignant l'indignation. Elle est pour moi et moi seul !

— Félicitations, mon garçon, ton goût s'améliore !

Dans la maison, Olympia se retourna vers eux.

— Madame Cayman…

Hope se mit à rire.

— Ma chère enfant, en matière de nom, tout est très compliqué chez nous. Je ne m'appelle plus Cayman depuis bien longtemps, mais Rinucci. C'est le nom de mon actuel mari, Toni, et vous êtes ici à la villa Rinucci.

— Mais… Mais alors, vous êtes parents avec Primo Rinucci ?

— Bien sûr, c'est mon beau-fils. Il ne sera pas avec nous ce soir, hélas, car il a été retenu par ses affaires en Angleterre. Mais si vous travaillez chez Leonate, vous avez dû le rencontrer, j'imagine ?

— Non, l'occasion ne s'est jamais présentée.

— Attendez un instant, dit alors Hope en allant ouvrir une armoire.

Elle en sortit un gros album de photographies qu'elle feuilleta avant d'indiquer un cliché à la jeune femme.

— Voici Primo, dit-elle.

Celle-ci, tout sourire, se pencha pour regarder la photo… et son sourire disparut brutalement.

8.

Pendant un long, très long moment, Olympia demeura comme assommée, incapable de la moindre réaction. A côté d'elle, Hope continuait de parler, lui expliquant que Primo était le fils de son premier mari, Jack Cayman. Mais sa mère était née Rinucci, et il avait repris ce nom en venant vivre à Naples.

Elle l'entendait à peine.

« Primo Rinucci »... le nom résonnait dans sa tête tandis que peu à peu l'horrible vérité s'imposait. Cet homme à qui elle avait accordé sa confiance, à qui elle avait parlé sans la moindre retenue de ses ambitions, de ses rêves les plus fous, c'était Primo Rinucci lui-même ! Il s'était moqué d'elle, l'avait mystifiée ignoblement. Comme il avait dû rire à ses dépens quand elle avait avoué son mépris pour le nouveau président ! En se rappelant certains propos qu'elle lui avait tenus, elle en avait des sueurs froides.

Mais le pire était qu'elle avait failli tomber amoureuse de lui !

Quelle horreur ! Ce soir, il lui fallait faire bonne figure et éviter de se ridiculiser davantage, mais dès demain elle rentrerait en Angleterre, donnerait sa démission de chez Curtis et irait se terrer quelque part où elle ne reverrait jamais ce monstre !

Elle en était là de ses sombres pensées quand Luke reparut.

— Vous voilà toutes les deux, s'exclama-t-il.

Devant le visage décomposé d'Olympia et la photo qu'elle regardait, il fronça les sourcils. Avait-il deviné le tour pendable que lui avait joué son frère ? Il n'en dit rien, en tout cas, et s'adressa à sa mère :

— On te réclame dans la cuisine, *mamma*.

Quand sa mère se fut éloignée, il entraîna Olympia.

— Venez que je vous présente à tout le monde.

Elle le suivit comme un automate alors qu'elle écumait intérieurement. Heureusement sa force de caractère lui permit de n'en rien montrer, et c'est en souriant qu'elle fit la connaissance de Toni, le mari de Hope, de leurs fils jumeaux, Ruggiero et Carlo, et enfin des parents de Toni de séjour à Naples, en l'honneur desquels Hope avait organisé la soirée.

— Ma mère vous porte aux nues, lui glissa Luke un moment après, quand il la rejoignit après qu'elle se fut entretenue longuement avec Toni. Mais vous me semblez tendue, Olympia. Quelque chose vous a contrariée ?

— Bien au contraire, tout va bien, mentit-elle.

A cet instant, son regard fut attiré par la porte du salon qui s'ouvrait, et soudain son cœur bondit : Jack — non, Primo — venait d'apparaître !

Olympia prit une inspiration, se détournant pour lui dissimuler son visage afin qu'il ne la reconnaisse pas trop vite. Pourquoi ne l'avait-il pas prévenue de son retour ?

Son premier réflexe fut la colère, bien vite remplacée par le chagrin. Car si Jack était revenu à Naples sans le lui dire, c'est qu'elle n'était rien pour lui… Cependant, il fallait retrouver rapidement une contenance et reprendre la situation en main.

Jack Cayman, alias Primo Rinucci, ne devait pas savoir à quel point elle souffrait par sa faute !

Pour l'instant, Hope accueillait son fils chéri et le serrait sur son cœur.

Primo rendit de bonne grâce son étreinte à sa mère.

— Je ne t'attendais pas, Primo ! Tu m'avais dit que tu étais retenu à Londres.

— J'ai réussi à me libérer. J'avais tellement hâte de rentrer, *mamma* !

— Tu arrives à point nommé, reprit Hope. Ce soir, Luke est accompagné d'une charmante jeune femme qui, je l'espère, devrait faire pour lui une merveilleuse épouse.

Primo eut un sourire indulgent.

— C'est la première fois que tu la vois, et tu en es déjà sûre, n'est-ce pas, *mamma* ?

— Absolument. Tu connais mon intuition dans ce domaine.

— Qu'en dit Luke ? J'imagine que tu n'as pas eu le temps de lui poser la question ?

— Ton frère sait que c'est la femme de sa vie, déclara Hope gravement. Il fallait voir son visage quand il a dit : « Elle est pour moi, rien que pour moi. »

Et elle ajouta avec autorité :

— Maintenant, à toi de trouver une femme, et je veux qu'elle soit aussi merveilleuse que celle de Luke !

Primo se mit à rire.

— J'espère que tu ne seras pas déçue, *mamma* !

— Parce que tu as enfin trouvé celle qu'il te faut ? s'exclama sa mère tout excitée. Qu'attends-tu pour l'amener ici ?

— Je le ferai le plus vite possible, c'est promis.

Hope poussa un cri de joie avant de l'étreindre de nouveau. Toni son beau-père, qui passait non loin, s'étonna :

— Que se passe-t-il ?

— Primo va se marier, et Luke aussi !

— Je croyais que Luke n'avait rencontré cette jeune femme qu'aujourd'hui, fit observer Toni. Il est un peu tôt pour faire ce genre de projet, non ?

Sa femme le fusilla du regard.

— Quand deux êtres sont amoureux, le temps importe peu ! Et nous aurons peut-être un double mariage ! Primo et sa mystérieuse amie, et Luke et sa ravissante fiancée !

— *Mamma*, ne t'emballe pas, soupira Primo avec un tendre sourire, il n'est pas encore question de mariage pour moi.

— Attention que ton frère ne te devance pas ! Et maintenant, viens que je te présente à cette exquise créature !

Primo suivit sa mère, heureux d'être là. Il adorait cette maison et rêvait du moment où il y emmènerait Olympia pour la présenter à ses parents. Il n'avait cessé de penser à elle pendant son court séjour en Angleterre et avait tout prévu dans l'avion du retour.

Il avait compté aller la surprendre à son hôtel, et là, profitant du bonheur de leurs retrouvailles, il lui aurait révélé la vérité sur son identité… Hélas, ne l'ayant pas trouvée au Vallini, il s'était résigné à venir à la réception donnée par sa mère sans l'avoir vue.

Luke était en grande conversation avec une jeune femme brune coiffée d'un élégant chignon, sans doute sa nouvelle conquête… Elle lui tournait le dos, mais il fut soudain saisi d'effroi. La jeune femme pivota légèrement, et il la vit de profil. Alors l'effroi devint cauchemar, et tout se brouilla autour de lui. Tout sauf l'élégante silhouette vers laquelle il avançait inexorablement, comme attiré par une force invisible.

— Olympia, murmura-t-il lorsqu'il fut assez près.

— *Signore* ? articula-t-elle avec une légère intonation interrogative.

Son expression était glaciale, menaçante.

Inconsciente de la tension soudaine, Hope prit la jeune femme par les épaules.

— Chère enfant, je tiens à vous présenter mon fils Primo dont je vous parlais tout à l'heure. J'ai du mal à croire que vous ne vous soyez encore jamais rencontrés.

— Non, je n'ai jamais vu le *signor* Rinucci, déclara Olympia sans qu'un muscle de son visage ne bouge.

Elle tendit à Primo une main qu'il serra brièvement.

Hope s'adressa ensuite à Luke :

— Peux-tu venir m'aider un instant ? Nous avons une petite

difficulté dans la salle à manger. Ta bien-aimée est en de bonnes mains avec ton frère Primo, ajouta-t-elle en riant.

Dès qu'ils furent seuls, Olympia porta sur lui un regard scintillant de fureur.

— Ainsi, vous êtes Primo Rinucci ! Comptiez-vous me jouer longtemps cette abominable comédie ?

— Olympia, n'en tirez pas des conclusions hâtives…, commença-t-il. Mais il ne put aller plus loin, car elle le coupa avec violence.

— Vous vous êtes moqué de moi ! Il n'y a pas de mot pour vous qualifier !

— Je vous en prie, attendez que je vous explique…

Elle l'interrompit de nouveau :

— Que voulez-vous m'expliquer ? Que vous m'avez menti de manière éhontée pour ne pas vous priver d'une bonne plaisanterie aux dépens d'une employée ? C'est cela que vous comptez m'expliquer ? Eh bien je n'ai que faire de vos explications.

Ce disant, la jeune femme fit mine de tourner les talons. Il voulut la retenir par le bras, mais à cet instant la voix de Hope s'éleva, invitant tout le monde à passer à table.

Presque simultanément, Luke reparut et entraîna Olympia vers la salle à manger.

Comme le couple s'éloignait, Primo se souvint soudain des propos rapportés par sa mère. Luke avait dit, parlant d'Olympia : « Elle est pour moi, rien que pour moi »…

Depuis quand son frère connaissait-il la jeune femme ? Quelques jours au plus, puisque lui-même n'était pas resté plus longtemps à Londres. Et pourtant, à les voir l'un avec l'autre, on pouvait les croire fiancés… Il s'efforça d'ignorer le frisson d'effroi qui le parcourait, pour gagner lui aussi la salle à manger en tentant de faire bonne figure.

Le destin voulut que, à table, il soit assis en face d'Olympia et de Luke, que Hope avait bien entendu placés côte à côte. C'est ainsi que tout le long du repas il put les observer par-dessus les hauts candélabres, discutant et riant, parfois même se tenant par la main comme deux amoureux heureux d'être ensemble. De quel droit aurait-il reproché à Luke de paraître à ce point transporté ? Lui-même était subjugué : Olympia n'avait jamais été aussi belle.

Le repas terminé, on dansa, et tous ses frères présents se pressèrent pour obtenir une danse de celle qu'on considérait désormais comme la petite amie de Luke.

Quant à Primo, il restait dans son coin, feignant un air indifférent et hautain, quand il eut la surprise de voir Luke s'approcher de lui.

— Avoue que j'ai une chance folle, déclara celui-ci, indiquant Olympia qui évoluait gracieusement au bras de Ruggiero. Elle est superbe, non ?

— Tu la connais depuis quand ? interrogea Primo, s'efforçant de paraître désintéressé.

— Aujourd'hui seulement ! Figure-toi qu'elle m'a renversé avec sa voiture, et je n'ai toujours pas retrouvé mes esprits. Peut-être que je ne les retrouverai jamais, et tant mieux !

— Tu essaies de me dire que, en moins de vingt-quatre heures, tu es prêt à l'épouser ?

— Pourquoi pas ? Quand une femme est vraiment faite pour toi, tu le sais tout de suite.

— Ne sois pas ridicule ! bougonna Primo.

Luke, qui s'était rembruni, le regarda soudain avec attention.

— Tu as fait sa connaissance en Angleterre, n'est-ce pas ? Raconte-moi.

— Il n'y a rien à en dire, rétorqua sèchement Primo.

— Curieux, elle non plus ne veut pas en parler.

— Dans ces conditions, mêle-toi de tes affaires, marmonna Primo avec une violence contenue.

Luke recouvra malgré ce sa bonne humeur.

— Cesse donc de faire ta mauvaise tête, dit-il en riant, et si tu veux l'inviter à danser, libre à toi. Je ne suis pas jaloux.

Primo le fusilla d'un regard meurtrier. Pourtant, dès que la musique s'arrêta, il s'approcha d'Olympia.

— Dansons, murmura-t-il.

— Certainement pas ! rétorqua la jeune femme.

Mais sans lui laisser le temps de s'esquiver, il la prit par le bras pour la retenir et l'enlaça.

Qu'il la contraigne ainsi ne fut visiblement pas du goût d'Olympia.

— Pour qui diable vous prenez-vous, pour m'obliger à danser avec vous quand je n'en ai aucune envie ! siffla-t-elle entre ses dents, comme il la faisait doucement évoluer au rythme d'un slow.

— Seulement pour Primo Rinucci, l'homme sans scrupule et assoiffé de pouvoir que vous rêviez de connaître pour mieux le manipuler et servir vos ambitions. Et maintenant, vous allez m'écouter. Je reconnais que je ne me suis pas très bien comporté avec vous, Olympia, mais il n'y avait rien de calculé de ma part. Les choses se sont enchaînées, et…

— Je vous en prie, le coupa-t-elle pleine d'ironie. Vous voudriez peut-être que je vous plaigne ?

— J'aimerais surtout que vous me compreniez, soupira Primo, s'adjurant intérieurement à la patience. Quand vous serez un peu calmée, je vous expliquerai tout.

— Certainement pas ! s'écria-t-elle avec violence ! Je ne veux rien savoir, et ne plus jamais vous voir ni vous entendre !

— Olympia, je vous en prie !

— Laissez-moi, maintenant, marmonna la jeune femme, s'efforçant de se dégager.

Luke qui observait le couple depuis le bord de la piste vit Olympia s'arracher brutalement aux bras de son frère. En un éclair, il les rejoignit.

— Eclipsons-nous, voulez-vous, proposa-t-il à la jeune femme en la prenant par les épaules, tout en jetant à Primo un regard d'avertissement. Je suis sûr que *mamma* ne nous en tiendra pas rigueur.

Il ne se trompait pas : le visage de sa mère s'illumina quand il lui dit qu'il préférait se retirer avec Olympia. A l'évidence persuadée que leur histoire d'amour était en bonne voie, elle leur envoya un baiser de la main quand leur voiture s'éloigna.

Une demi-heure plus tard, ils s'installaient à la terrasse d'un café en bordure de mer. Quand on leur eut servi les glaces qu'ils avaient commandées, Luke n'y alla pas par quatre chemins.

— Racontez-moi ce qui s'est passé avec mon frère Primo.

Comme la jeune femme baissait les yeux sans répondre, il ajouta :

— Vous vous connaissez depuis un certain temps, n'est-ce pas ?

— Oui, nous nous sommes rencontrés en Angleterre.

— Et il vous a caché qu'il était Primo Rinucci.

Olympia hocha la tête.

— Il m'a dit s'appeler Jack Cayman.

Luke fit entendre un petit sifflement.

— C'est le nom de notre père, et je crois savoir qu'il l'utilise parfois pour ses relations d'affaires, en Angleterre.

— Avec moi, il s'est fait passer pour Jack Cayman en dehors du cadre professionnel, avoua la jeune femme d'une voix tendue.

Et soudain, elle se mit à parler librement, racontant ce qui s'était passé.

Quand elle se tut, Luke était au courant de tout — ou presque, car il supposait qu'elle avait omis les détails trop personnels de son histoire avec le prétendu Jack Cayman. Néanmoins, il était abasourdi par la duplicité de son frère.

— A présent, déclara Olympia en guise de conclusion, je n'ai qu'un désir : rentrer en Angleterre demain par le premier avion, donner ma démission de Curtis et ne plus jamais entendre parler de Primo Rinucci !

Luke réagit aussitôt :

— Pas question que vous partiez si vite, mon frère aurait la partie trop belle ! Vous allez rester à Naples et lui faire regretter de s'être ainsi moqué de vous.

Olympia parut un peu ragaillardie.

— Que voulez-vous dire ?

— Il s'est amusé à vos dépens ? Maintenant, à vous de lui rendre la monnaie de sa pièce ! déclara Luke avec fougue. Et je vous y aiderai, je vous le promets.

— Comment cela ? demanda la jeune femme sans comprendre.

— Vous le verrez. Nous allons bien nous amuser, croyez-moi.

9.

Prenant sur lui, Primo réussit à rester à la fête encore un moment. Non qu'il y éprouvât le moindre plaisir, mais il avait peur de ne pas se contrôler s'il retrouvait Luke et Olympia en ville. Quand il finit par quitter la villa, il était tard, mais sachant qu'il serait incapable de dormir, il erra encore longuement dans Naples au volant de sa voiture de sport. Et puis, presque sans même s'en rendre compte, il prit la direction de l'hôtel Vallini.

Les fenêtres de la suite d'Olympia étaient éclairées, ce qui l'enhardit. Il gagna le comptoir de la réception pour dire au gardien de nuit qu'il se rendait chez Mlle Lincoln. Celui-ci voulut la prévenir par téléphone mais un pourboire conséquent le retint, et Primo se rua vers l'ascenseur.

Olympia mit si longtemps à lui ouvrir qu'il se demanda un instant si les lumières n'étaient pas restées allumées sans personne à l'intérieur. Mais non, la jeune femme finit par entrouvrir le battant.

Le reconnaissant, elle essaya de le refermer, mais Primo avait glissé son pied dans l'entrebâillement, et l'instant d'après il pénétrait dans le salon.

— Sortez ou j'appelle au secours ! rugit-elle.

— Je partirai dès que nous aurons parlé.

— Nous nous sommes tout dit.

— Ce soir, vous ne m'avez pas laissé placer un mot.

— J'ai entendu ce que je voulais entendre, articula la jeune femme d'un ton dur. Vous m'avez joué la comédie, vous vous êtes moqué de moi, et vous devriez avoir honte !

— Je ne suis pas fier de moi, Olympia. Ce qui n'était qu'une petite plaisanterie au début a dégénéré, et…

— Et vous comptiez la faire durer longtemps, votre petite plaisanterie ? le coupa-t-elle avec fureur.

— Je… Je ne savais plus comment m'en sortir, avoua-t-il.

— Allons, ironisa Olympia, ne me dites pas que le puissant Primo Rinucci, l'homme auquel rien ni personne ne résiste, ne savait pas comment révéler son identité à la pauvre petite subalterne que je suis ! Non, la vérité est que la situation vous plaisait ! Vous vous amusiez à mes dépens.

— Je n'ai jamais songé à rire de vous, objecta-t-il doucement. Oh, Olympia, je vous en prie, je sais que j'ai eu tort, mais je me suis laissé prendre à mon propre piège.

— Je ne vous croirai jamais ! Imaginez un peu ce que j'ai ressenti quand j'ai appris la vérité, et de la façon dont je l'ai apprise !

— Je ne pouvais pas prévoir que vous feriez la connaissance de ma mère avant que je ne vous présente à elle, rétorqua Primo. Je suis passé à votre hôtel avant de venir, sans succès. Comment pouvais-je penser que je vous trouverais chez elle ?

— Je ne m'y serais pas trouvée si vous m'aviez prévenue de votre retour, fit valoir la jeune femme avec une amère ironie. Car vous ne m'en avez rien dit, évidemment.

— Je voulais vous faire la surprise.

— Eh bien, vous y avez réussi ! A présent, disparaissez. Je suis ici chez moi, vous n'avez aucun droit de violer mon espace privé, *signor* Rinucci !

S'entendre appeler ainsi fut la goutte d'eau qui fit déborder le vase.

Primo s'était jusqu'ici adjuré à la patience, mais il s'emporta.

— Je vous interdis de m'appeler ainsi !

— Je vous appelle comme je veux, et je vous ordonne de me laisser ! tonna Olympia en retour.

Portant un regard autour de lui, il remarqua alors la valise ouverte et les vêtements épars sur le canapé.

— Vous faites vos bagages ? demanda-t-il, stupéfait.

— Oui. Je quitte l'hôtel cette nuit même.

— Pour rentrer en Angleterre par le premier avion demain matin ?

— Non. J'ai décidé de rester à Naples et de prendre le poste que vous m'avez offert chez Leonate. Mais je déménage ce soir.

— Où que vous alliez, je vous retrouverai, assura-t-il.

Olympia éclata d'un rire qui frisait l'hystérie.

— Vous n'aurez pas à me chercher longtemps, puisque je serai demain matin à la première heure au siège de Leonate.

Elle prit alors un ton grinçant pour ajouter :

— Il faut bien que je fasse la connaissance de mes nouveaux patrons, le *signor* Leonate et le *signor* Rinucci.

— Assez ! rugit Primo. Nous n'allons pas revenir sur cette histoire éternellement, tout de même ! Après tout, j'ai eu tort de vous mystifier, je l'admets, mais vous, vous m'avez parlé avec beaucoup d'imprudence, me confiant vos pensées et vos stratégies les plus secrètes ! Pour quelqu'un qui se veut une professionnelle aguerrie, c'est une faute que je pourrais retenir contre vous, et...

Le bruit de la gifle contre sa joue lui coupa la parole plus que la douleur qu'elle lui causa.

Ils demeurèrent pétrifiés l'un et l'autre. Les yeux d'Olympia étaient emplis de fureur, mais Primo y lisait aussi de l'angoisse et une sorte de peur panique.

Ce fut cette expression-là qui l'émut et lui fit oublier sa colère. Non, décidément, songea-t-il dans un éclair de lucidité, il ne supportait pas de la voir malheureuse.

— Eh bien, disons que nous sommes quittes à présent, murmura-t-il, soutenant le regard de la jeune femme.

— Je… Je ne sais pas, marmonna celle-ci d'une voix qui tremblait.

— Moi, je le sais !

La prenant doucement mais fermement par le bras, il l'attira à
lui.

— Faisons la paix, murmura-t-il encore avant de couvrir sa
bouche de la sienne.

La dernière pensée consciente d'Olympia fut : « Comment
ose-t-il ? »

Oui, comment osait-il penser qu'un baiser pouvait tout effacer,
qu'elle allait lui pardonner simplement parce que ses lèvres éveillaient
en elle un indicible émoi ? Elle lui prouverait qu'il se trompait, oui,
elle le lui prouverait dès qu'elle aurait retrouvé ses esprits…

Mais elle perdait de plus en plus le sens de la réalité. Elle s'envolait, s'envolait toujours plus haut tandis que cette bouche irrésistible
fouillait la sienne, tout son corps s'embrasait d'un désir brûlant de
s'offrir à l'homme qui lui donnait tant de joie.

— Le passé est mort, murmura-t-il tout contre ses lèvres. Le
futur nous appartient. Serrez-moi plus fort, Olympia.

Glissant les bras autour de son cou, elle se nicha plus étroitement
contre Primo, s'enivrant de sa chaleur, cherchant à en imprégner non
seulement son corps, mais aussi son cœur.

Il avait raison, le passé ne comptait plus. Elle était amoureuse de
lui ! Elle le savait depuis longtemps, l'avait toujours su et l'acceptait
désormais avec bonheur. Il lui fallait cette chaleur qu'il lui commu-
niquait, elle seule lui permettrait de rester vivante…

Dans un état de semi-conscience émerveillée, elle sentit qu'il la
soulevait dans ses bras et, entrouvrant les yeux, se rendit compte
qu'il la transportait vers la chambre. Oh, bonheur ineffable ! Elle
allait être à lui…

Elle ne retomba sur terre qu'en entendant tourner la poignée de
la porte.

— Attends, souffla-t-elle.

112

Primo enfouit son visage dans son cou.

— Crois-tu que nous n'avons pas assez attendu ? murmura-t-il, l'urgence s'entendant clairement dans sa voix étouffée.

— Mais il faut que… Tu ne comprends pas…

— Je comprends ceci, la coupa-t-il, reprenant sa bouche.

Sans cesser de l'embrasser, il poussa la porte d'un coup de pied et avança dans la chambre pour déposer son précieux fardeau sur le grand lit. Il était si absorbé par le baiser qu'ils échangeaient qu'il lui fallut plusieurs secondes pour enregistrer ce que ses yeux découvraient.

Un homme était allongé sur le lit, les mains sous la nuque. Un homme qui arborait un sourire sardonique !

— Bonsoir, lança Luke, car c'était lui. En voilà une surprise !

Sur le coup, Primo ne put que dévisager son frère, puis il ferma les yeux avant de les rouvrir, comme pour mieux conjurer ce qu'il voyait.

Mais c'était bien Luke et son sourire de plus en plus ironique.

— Tu aurais dû me prévenir, marmonna Primo à l'adresse d'Olympia, sans la regarder. *Dio* ! Si j'avais été plus malin, je m'en serais douté.

— Je t'en prie, gémit la jeune femme, lâche-moi.

Il voulait la déposer sur le lit, mais le choc et la stupeur lui avaient soudain ôté toutes ses forces, et ce fut involontairement qu'il lâcha la jeune femme. Elle chut lourdement en travers du lit, où Luke la retint de son mieux avant qu'elle ne glisse par terre.

— Tu aurais pu la déposer avec plus de ménagement, lui reprocha son frère.

Mais Primo se contenta de poser sur lui un regard plein de mépris.

— Oh oui, j'aurais dû, murmura-t-il, et ses yeux en disaient long.

Olympia qui avait intercepté ce regard se redressa, indignée.

— Comment osez-vous sous-entendre ce que je crois comprendre ? Luke est ici pour m'aider à déménager mes affaires.

Sur ces mots, elle sauta sur le sol, et son visage exprimait clairement les émotions conflictuelles qui se disputaient en elle : passion, indignation, fureur, mais frustration aussi.

— Oh, je vous déteste tous les deux ! Si vous pensez que…, rugit-elle à l'adresse de Primo.

Il ne la laissa pas aller plus loin.

— A votre avis, quelle autre conclusion puis-je tirer ? déclara-t-il d'un ton suprêmement méprisant.

— Olympia te l'a dit, je suis venu l'aider à déménager ses affaires, admit Luke à contrecœur.

— Et peut-être aussi à se déshabiller ? ironisa Primo, contenant mal sa rage.

— Oh, taisez-vous tous les deux ! s'écria Olympia. Et vous, Primo, sachez que je ne vous appartiens pas. J'ai le droit de conduire ma vie comme bon me semble, au moins en dehors du bureau.

— Où je vous attends demain à la première heure, déclara l'intéressé d'un ton dur et glacial. Tâchez de ne pas être en retard !

— Dans ce cas, intervint encore Luke, nous devrions nous presser, Olympia. La nuit est déjà bien entamée. Finissez vos valises, je vous attends dans le salon.

Demeurée seule avec Primo dans la chambre, la jeune femme remplit hâtivement sa valise avant de la boucler. Pas un instant elle ne porta les yeux sur lui, qui ne la quittait au contraire pas du regard.

Il finit par demander d'un ton dur :

— Me direz-vous où vous comptez vous installer, ou est-ce inutile que je pose la question ?

Olympia le fixa droit dans les yeux.

— Je vais habiter chez Luke.

— Dans ce cas, disparaissez de ma vue !

*
* *

114

Comme Olympia avait abandonné sa voiture de location à l'hôtel Vallini, Luke la conduisit le lendemain matin au bureau où il la présenta à Enrico Leonate. Ce dernier, un homme plus tout jeune, légèrement bedonnant mais toujours plein d'enthousiasme, l'accueillit les bras ouverts.

— Primo m'a tant parlé de vous, s'exclama-t-il avec chaleur.

— J'espère qu'il vous a prévenu que mon italien est encore rudimentaire, dit Olympia, touchée de son accueil.

— N'ayez crainte, vous progresserez vite, et pour l'instant, nous pouvons parler en anglais.

— De toute façon, Mlle Lincoln est très douée, déclara alors une voix masculine dans leur dos.

— Ah, Primo, s'écria Enrico, entre donc. Mlle Lincoln et moi faisions connaissance.

— Je vous en prie, dit-elle, appelez-moi Olympia.

— Dans ce cas, appelez-moi Enrico. Primo, j'avoue qu'elle est aussi charmante que tu me l'avais décrite.

— Je ne pense pas que ce soit le terme que j'ai employé pour Olympia, répliqua l'interpellé avec une froideur non dissimulée. J'ai certainement dit qu'elle était une professionnelle intelligente, compétente et motivée. J'ajoute que c'est une experte quand il s'agit de convaincre les gens d'agir comme elle le désire.

— C'est exactement ce qu'il nous faut ! assura Enrico, toujours jovial. Des gens sachant gérer le personnel.

— Ne croyez rien de ce que vous dit le *signor* Rinucci sur moi, dit Olympia d'un ton faussement badin. Il est partial.

— Bien sûr, plaisanta Enrico, il a pour vous des préjugés favorables depuis qu'il vous a vue à l'œuvre en Angleterre.

— Absolument exact, murmura Primo. Je crois d'ailleurs vous l'avoir dit, *signorina*.

— En effet, riposta-t-elle du tac au tac. Mais je ne dirai jamais assez combien j'ai moi-même appris de vous en un temps si court sur l'art de la… dissimulation.

Enrico ne comprenait visiblement pas bien le sens de cet échange mais, au fond de la pièce, Luke qui l'avait suivi sans y prendre part s'amusait. Son regard le disait clairement. Il s'approcha cependant.

— J'ai à faire, Olympia, je vais donc vous laisser. Appelez-moi ce soir pour que je vienne vous chercher quand vous désirerez rentrer.

— Je ne veux pas vous contraindre à me servir de chauffeur, protesta-t-elle aussitôt. Je peux très bien récupérer ma voiture au Vallini.

— Nous y irons ensemble dès que vous connaîtrez mieux l'itinéraire pour vous rendre chez moi, répliqua aimablement Luke. Et n'imaginez surtout pas que c'est une contrainte pour moi de vous conduire où vous voulez. C'est un plaisir, au contraire.

Olympia lui sourit.

— Dans ces conditions, à ce soir.

— Bonne journée à tout le monde, lança Luke à la cantonade.

— Bonne journée, marmonna Primo sans le regarder.

Après son départ, Enrico reprit la parole, s'adressant à Olympia.

— Primo m'a raconté combien vous lui avez été précieuse quand il a visité les deux usines anglaises. A présent, j'imagine qu'il sera content de vous rendre la pareille en vous présentant à nos différents responsables de département.

Primo prit aussitôt la parole.

— En vérité, Enrico, j'ai beaucoup de travail en retard, et je suggère que la *signora* Pattino s'occupe d'Olympia pour sa première journée parmi nous.

— A ta guise, mais tu pourrais au moins montrer à Olympia son bureau.

— Aie la gentillesse de le faire à ma place, Enrico, il faut vraiment que j'aille travailler.

S'adressant à elle, Primo dit encore avec un petit salut :

— En tout état de cause, *signorina*, je vous souhaite la bienvenue chez Leonate et espère que notre collaboration s'avérera fructueuse.

Il avait parlé d'une façon presque automatique, comme on répète des phrases toutes faites, et s'éclipsa aussitôt après.

Quand il fut parti, Enrico eut quelques mots d'excuse pour lui, avant d'entraîner Olympia.

La journée se déroula ensuite comme un rêve. Le bureau qu'on avait aménagé pour elle était somptueux et équipé de la bureautique la plus moderne. Enrico discuta longuement avec elle et parut favorablement impressionné de constater sa connaissance des multiples activités de la holding. Au déjeuner, il l'emmena dans un excellent restaurant avec la *signora* Pattino, son assistante, une femme d'un certain âge tout à fait agréable qui s'offrit de lui servir de guide durant les jours à venir. Et l'après-midi, Enrico puis la *signora* Pattino la présentèrent aux principaux cadres de la société. Tout le monde l'accueillit avec chaleur, et beaucoup lui dirent que Primo Rinucci leur avait parlé d'elle en termes très élogieux.

Mais Olympia ne se faisait pas d'illusions : si celui-ci l'avait vantée auprès de son personnel, il ne le ferait plus. Il la détestait à présent, la méprisait et n'aurait de cesse de la tourmenter pour qu'elle remette sa démission.

Heureusement, Luke était là pour la soutenir et l'aider à donner une bonne leçon à son frère !

10.

En allant récupérer sa voiture ce soir-là au parking de Leonate, Primo tomba sur son frère qui arrivait, et nota avec mauvaise humeur que son véhicule était flambant neuf. Raison pour laquelle il ne l'avait pas reconnu hier soir devant le Vallini.

Sortant de voiture, Luke lui fit un signe de la main.

— Olympia est prête à partir, crois-tu ? lança-t-il avec bonne humeur.

— Je n'ai pas vu la *signorina* Lincoln de tout l'après-midi et suis donc incapable de te répondre, rétorqua Primo, glacial.

— C'est elle qui t'a demandé de l'appeler *signorina* ? demanda son frère, moqueur. Note, tu l'as bien mérité. Ne t'a-t-on jamais dit qu'il est recommandé de se présenter sous sa véritable identité quand on fait la connaissance d'une jeune femme ? En général, si on ne le fait pas, cela la met de mauvaise humeur.

— Parce qu'elle te l'a dit ? siffla Primo entre ses dents.

Luke haussa les épaules.

— Je n'en ai pas eu besoin. A la fête de *mamma*, hier soir, j'ai bien compris que tu lui avais fait croire que tu étais quelqu'un d'autre, c'était évident.

— Et bien sûr, tu as sauté sur l'occasion pour me jouer un tour à ta façon, répliqua durement Primo. Tu n'attendais que cela, avoue-le !

— Ne me prête pas de mauvaises intentions, riposta son frère, qui visiblement s'amusait. Je n'en ai jamais eu.

— Dois-je conclure qu'Olympia se trouvait à la villa par le fait du pur hasard, hier soir ? interrogea Primo, contenant mal son agressivité.

— Absolument ! Tout comme c'est par hasard que je l'ai rencontrée. C'est ta faute, d'ailleurs, il ne fallait pas la laisser seule à Naples.

— Je comptais n'être absent qu'une journée au plus, marmonna Primo, les dents serrées. Mais j'ai trouvé à Londres une situation plus compliquée que prévu et j'ai été pris de court.

Luke fit entendre un petit rire ironique.

— Qu'est-il advenu du grand Primo Rinucci qui peut tout prévoir et ne prend jamais de risque ?

Il fusilla son frère du regard, se gardant bien de lui avouer la vérité : ce Primo-là avait cessé d'exister dès l'instant où son regard s'était posé sur Olympia. Un autre Primo l'avait remplacé, prêt à prendre tous les risques pour conquérir la jeune femme. Non, jamais il ne révélerait la vérité à ce frère avec lequel il se disputait sans cesse.

— Cela t'amuse de te moquer de moi, n'est-ce pas ? articula-t-il avec humeur. En tout cas, je te préviens, Olympia n'est pas pour toi.

— Tu ne crois pas que c'est à elle d'en décider ?

— Je te le répète, *elle n'est pas pour toi* ! Laisse-là où elle est !

Luke éclata de rire.

— Bien volontiers, puisqu'elle habite chez moi !

— Ne te berce pas d'illusions, elle s'y est installée par vengeance, mais elle ne tient pas à toi.

Luke le regarda dans les yeux avant de demander comme un défi :

— En es-tu si sûr ?

— Va au diable ! s'écria Primo, hors de lui.

— Avec plaisir, si je l'emmène avec moi. Avec elle, j'irais n'importe où. Ah ! La voilà qui arrive.

Luke s'avança vers Olympia qui venait de sortir de l'ascenseur pour l'embrasser sur la joue, mais Primo n'eut pas le temps de le voir : déjà il avait bondi dans sa voiture et démarrait comme s'il avait le diable à ses trousses.

Un moment plus tard, sur la route qui les ramenait à l'appartement, son conducteur demanda à Olympia si son frère n'avait pas été trop désagréable avec elle, au bureau.

— Pas du tout. C'est tout juste si nous nous sommes parlé.

— En tout cas, ne lui révélez surtout pas la comédie que nous lui jouons, la mit en garde Luke.

— Non, mais j'avoue qu'elle ne me met pas très à l'aise, avoua-t-elle. J'ai l'impression de mystifier Primo.

— Tout comme il vous a mystifiée ! Apparemment, c'est votre façon à tous les deux de communiquer.

Elle lui dédia un petit rire triste.

— C'est vrai, hélas.

L'appartement de Luke était situé au sud de Naples, dans un complexe d'immeubles de grand luxe. Tout y était ultra-moderne et du dernier cri.

Outre un immense salon avec une terrasse au-dessus de la mer et une cuisine évoquant un centre de recherches spatiales, Luke jouissait de deux grandes chambres équipées d'une profusion de placards. Olympia qui occupait la chambre d'amis y retrouva ses valises dont elle n'avait pas encore rangé le contenu. Ce fut la première chose qu'elle fit ce soir-là en rentrant du bureau, et elle n'avait pas tout à fait terminé quand son hôte frappa à sa porte.

— J'ai préparé du thé, annonça-t-il. Vous en voulez une tasse ?

— Oh, volontiers ! soupira-t-elle.

— Ce soir, déclara Luke comme ils dégustaient leur thé sur la terrasse, c'est moi qui fais la cuisine. D'abord, j'ai hâte de vous montrer mes talents de cuisinier, et puis vous avez rapporté beaucoup de dossiers du bureau, et j'imagine que vous voulez vous y plonger.

— En effet, j'aimerais y travailler. Je crains d'avoir du mal, car la plupart de ces dossiers sont en italien, que je parle et lis encore avec difficulté.

— N'hésitez pas à me solliciter si je puis vous aider.

Olympia travailla donc tandis que Luke s'activait aux fourneaux et, après le dîner qui s'avéra délicieux, elle se replongea derechef dans ses dossiers. Elle sollicitait de moins en moins souvent l'aide de son hôte à mesure que les heures passaient, car elle se familiarisait vite avec la langue écrite.

Ce soir-là en se couchant, elle éprouvait un sentiment de sécurité.

Elle était contente et sereine avec Luke, elle savait qu'il ne lui demanderait jamais ce qu'elle ne pouvait pas lui donner. Son esprit s'évada ensuite vers Primo. Primo qui avait habité ses pensées toute la soirée, comme une sorte de toile de fond… Où était-il ? Que faisait-il ? Lui manquait-elle autant que lui-même lui manquait ? C'est avec une infinie tristesse au cœur qu'elle finit par s'endormir.

Olympia ne vit pas Primo durant les deux jours qui suivirent. Et puis sans crier gare, celui-ci apparut un soir dans son bureau.

— Prête à partir ? demanda-t-il, la voyant ranger les papiers sur sa table.

Elle s'efforça de parler calmement pour qu'il ne se doute pas de l'émoi qu'il lui causait.

— Oui. La *signora* Pattino et moi partons demain faire la tournée des usines Leonate implantées dans le sud de l'Italie. J'en suis très contente.

— Parfait, dit-il, Enrico m'assure que vous vous en sortez admirablement.

— Oh, il est bien indulgent, murmura-t-elle. J'imagine que c'est grâce à vous…

— Je lui ai dit en effet ce que je pensais de vous, admit Primo, et je vous trouve, vous le savez, une excellente professionnelle.

— Et pourtant, vous m'en voulez beaucoup, n'est-ce pas, ajouta-t-elle sans le regarder.

— Pas du tout, non ! s'exclama-t-il.

Après un silence, il reprit plus doucement :

— J'espère que vous non plus, vous ne m'en voulez pas. Je comprends maintenant que vous ayez agi comme vous l'avez fait. Si je l'avais compris plus tôt, cela nous aurait évité des désillusions à tous les deux.

Il souffrait, c'était visible, et elle sentit son cœur se serrer.

— Vous parlez de mon installation chez Luke ? demanda-t-elle à voix basse.

— Oh, cela n'a plus d'importance, mais vous auriez dû quand même me prévenir qu'il vous attendait dans la chambre, l'autre soir.

Elle piqua du nez.

— Si je vous disais que j'avais oublié sa présence, finit-elle par avouer. Je me suis mise en colère contre vous, et... Et puis avec ce qui s'est... euh... passé entre nous, je l'ai complètement oublié.

Primo ne dit rien pendant de longs instants, se contentant de la regarder tristement. Quand il parla enfin, sa voix était lasse.

— Je n'aime pas vous savoir chez mon frère Luke.

— Peut-être trouverai-je un logement à moi sitôt que je connaîtrai mieux la ville.

— J'ai des amis, je pourrais...

— Primo, non ! le coupa-t-elle vivement. N'organisez pas ma vie pour moi. Je ferai les choses à mon rythme et selon mes moyens.

— D'accord, admit-il sans chercher à la convaincre. Eh bien au revoir, *signorina* Lincoln. Je vous souhaite un bon voyage.

De façon tout à fait imprévisible, il effleura sa joue de ses lèvres.

Elle sentit son cœur bondir. Mais déjà il avait disparu.

122

Le voyage avec la *signora* Pattino dura une semaine, au cours de laquelle toutes deux s'entendirent très bien. L'Italienne se montrait impressionnée par la facilité avec laquelle Olympia se faisait accepter par tous ceux qu'elle rencontrait.

Pourtant, si elle mettait tout en œuvre pour que ce voyage soit productif, elle pensait presque sans arrêt à sa dernière entrevue avec Primo. Celui-ci avait voulu se montrer distant, mais il n'y était pas parvenu. La tristesse qu'elle avait lue dans ses yeux la hantait, et le souvenir du baiser qu'il avait déposé sur sa joue était parfois si présent qu'elle se prenait à frissonner.

Avaient-ils un avenir ensemble ?

Elle n'osait y songer… Mais comme ils travailleraient dans le même immeuble, ils auraient de multiples occasions de se rencontrer et de se parler. Peut-être ces conversations les amèneraient-elles à mieux se comprendre et à se pardonner mutuellement ?

C'est en tout cas dans cet état d'esprit qu'elle regagna Naples et le siège de Leonate, où elle fut accueillie par un Enrico dithyrambique.

— Tous les directeurs des usines que vous avez visitées me chantent vos louanges au téléphone, s'exclama-t-il dès qu'elle se présenta dans son bureau. On vous trouve absolument merveilleuse !

Olympia sourit modestement.

— Ces gens sont indulgents.

— En tout cas, Primo ne s'est pas trompé en me vantant vos qualités. Je le lui redirai quand je l'appellerai à Londres.

— A Londres ? répéta-t-elle, atterrée.

— Oui, il a dû y retourner. Cedric Tandy a été sérieusement ébranlé par l'affaire des bilans truqués par ce comptable peu scrupuleux, et il est tombé malade. Primo a dû prendre les rênes de Curtis jusqu'à ce que le directeur qu'il vient d'embaucher soit opérationnel. Il sera donc absent pas mal de temps.

Olympia s'adaptait rapidement à la vie napolitaine.

Primo aurait été surpris s'il avait pu voir la façon dont elle vivait avec Luke. La cohabitation les avait amenés à se tutoyer, et celui-ci se comportait comme un grand frère attentif et protecteur. Comme il faisait appel à une entreprise spécialisée pour le ménage et le linge, elle n'avait à assurer aucune besogne ménagère et pouvait donc se consacrer à son travail.

Parfois, Luke l'emmenait dîner à la villa où Hope avait pour Olympia mille attentions exquises. Elle la considérait comme sa future belle-fille et n'en faisait pas mystère, ce qui ne semblait pas troubler son fils.

Un jour qu'ils étaient invités à la villa, le téléphone sonna. C'est Hope qui répondit, et Olympia comprit qu'il s'agissait de Primo. Mais Hope s'exprimait dans un italien tellement rapide qu'elle ne saisit pas un mot de ce qu'elle disait.

Un moment après Hope raccrochait et poussait un soupir.

— Je n'aime pas quand mes garçons sont au loin, lui avoua-t-elle. C'est ridicule, je le sais, puisque ce sont tous des adultes maintenant. Mais c'est ainsi. Les mères ne sont jamais raisonnables quand il s'agit de leurs enfants. Pourtant il est sans doute préférable que Primo et Luke soient séparés par quelques milliers de kilomètres en ce moment, ajouta-t-elle avec un nouveau soupir.

Olympia dressa l'oreille.

— Pourquoi en ce moment, précisément ? interrogea-t-elle, s'efforçant de prendre un ton détaché.

— J'aurais du mal à vous l'expliquer. Toute leur vie, ces deux garçons se sont disputés. Le moindre prétexte était bon pour les dresser l'un contre l'autre : le dernier en date était un ingénieur dont ils voulaient tous les deux s'assurer les services. Mais Primo a fini par l'emporter, et l'homme a signé avec Leonate. Alors Luke s'est mis en colère, disant que son frère le lui avait « volé », c'est le mot qu'il a employé. Depuis quelque temps, il y a autre chose qui les oppose, je ne sais pas exactement quoi, et cela ne semble pas près de s'arranger.

Olympia ne fit aucun commentaire. Elle réalisait avec stupeur que Hope croyait toujours que Primo et elle s'étaient rencontrés pour la première fois à sa fête. Elle ignorait encore ce qui s'était passé entre eux.

— C'est Primo qui a appelé ? demanda Luke qui venait d'apparaître dans l'encadrement de la porte.

— Oui, et il m'a chargé d'embrasser tout le monde pour lui.

— Même moi ? fit mine de s'étonner Luke.

— Même toi, rétorqua sévèrement sa mère. Et maintenant, arrête de t'en prendre à lui. Quel que soit le différend qui vous oppose, vous êtes frères !

— Pardon, *mamma*, marmonna Luke avec un air penaud, et rassure-toi, il n'y a jamais de vrai différend entre nous. Mais tu nous connais, nous adorons nous chamailler. Heureusement, cela ne va jamais très loin.

Luke s'efforça ensuite d'amuser sa mère en racontant des anecdotes de leur enfance, et on ne parla plus de Primo. Mais Olympia ne cessait de penser à lui, et sans doute resta-t-il également présent dans l'esprit de Luke, car le soir, en rentrant à leur appartement, celui-ci reparla de son frère :

— Primo est un être plein de contradictions, dit-il. Il est capable d'agir complètement à l'encontre de ses sentiments.

— Beaucoup de gens sont ainsi, fit valoir Olympia.

— Lui, cependant, il pousse les choses à l'extrême. Il n'y a qu'à voir ce qu'il a fait pour Justin.

— Qui est Justin ? J'entends parler de lui de temps en temps à la villa, mais personne ne m'a jamais expliqué qui il était réellement.

— C'est qu'il a été longtemps un sujet tabou dans la famille, expliqua Luke. Nous avons toujours su que ma mère avait un fils aîné, mais nous ignorions ce qui lui était arrivé. *Mamma* n'avait que quinze ans quand elle s'est trouvée enceinte. Evidemment elle n'était pas mariée, et à l'époque ce genre d'affaire faisait scandale. Alors, sans doute à cause de l'opprobre qui n'aurait pas manqué de s'abattre sur la famille, ses parents ont fait une chose abominable.

— Quoi donc ? s'enquit Olympia, curieuse maintenant.

— Au moment de la naissance, ils ont subtilisé l'enfant pour le faire adopter, tout en disant à leur fille que son bébé était mort-né.

— Quelle horreur !

— *Mamma* ne s'est jamais consolée d'avoir perdu cet enfant, poursuivit Luke. Quelques années plus tard, elle a épousé Jack Cayman, un veuf qui avait un petit garçon, Primo, dont elle a remplacé la mère décédée. Primo a tout de suite adoré *mamma*, mais quand Jack et elle m'ont adopté, il a été très jaloux. Raison pour laquelle nous avons toujours été en rivalité et nous disputons encore souvent maintenant. Cependant, Primo a été encore plus bouleversé le jour où *mamma* a découvert que son premier bébé n'était pas mort comme on le lui avait fait croire. Elle a alors mis tout en œuvre pour le retrouver, mais sans succès : il avait été adopté, c'était trop tard. Son mariage avec Jack Cayman n'a pas duré longtemps. Au divorce, elle a obtenu ma garde, mais pas celle de Primo puisqu'il était le fils de Jack et non le sien. Puis, après la mort de son père, Primo a été recueilli par la famille de sa mère. Quand *mamma* a épousé Toni, un oncle maternel de Primo, nous avons recomposé une grande famille. *Mamma* pensait néanmoins toujours à son fils aîné. Finalement, c'est Primo qui a pris sur lui de le retrouver une fois qu'il a été majeur. Sans ménager ni son argent ni ses efforts, il a recruté les meilleurs détectives d'Angleterre pour les lancer aux trousses de cet enfant. On l'a enfin retrouvé, et Primo a fait lui-même le voyage jusqu'à Londres pour s'assurer de visu qu'il n'y avait pas d'erreur de personne. Quand il en a été sûr, il a ramené Justin à *mamma*.

— Formidable !

— Ce qui est révélateur du caractère de Primo, reprit Luke, c'est qu'il avait toujours été jaloux de Justin, même sans le connaître, parce qu'il prenait sa place de fils aîné dans le cœur de *mamma*. Et pourtant, il a tout fait pour le retrouver parce qu'il savait combien elle en serait heureuse.

— Quelle générosité de cœur, murmura Olympia, émue plus qu'elle ne voulait l'avouer.

— Je le pense aussi, admit Luke. Mon frère m'exaspère souvent, je le trouve prétentieux, sûr de lui, têtu, parfois hautain, mais il est capable du meilleur. C'est rare, sais-tu ?

Elle ne répondit pas, perdue dans ses pensées.

Si seulement elle avait connu Primo dans d'autres circonstances ! Les choses entre eux auraient été tellement différentes…

La vie en compagnie de Luke se poursuivait, paisible. Comme il avait une bonne écoute, Olympia lui parlait volontiers de sa vie en Angleterre, de son enfance, et même de ses parents.

Un soir que ceux-ci étaient le sujet de la conversation, elle raconta à son compagnon l'histoire des cartes de la Saint-Valentin, et comment elle s'en était servie pour faire marcher Primo.

— Il vivait donc chez toi ? interrogea Luke.

— Non, il y avait seulement passé la nuit.

Devant son air entendu, elle sentit la moutarde lui monter au nez.

— Ce n'est pas ce que tu crois ! s'exclama-t-elle. Il était blessé. Il avait subi une commotion cérébrale à la suite d'un accrochage en voiture, et je n'ai pas voulu qu'il reste seul à son hôtel. Quoi qu'il en soit, le lendemain était le jour de la Saint-Valentin, et tu aurais vu la tête de Primo lorsque sont arrivés le bouquet de roses et les cartes que mes parents m'envoient tous les ans !

— Tes parents connaissent-ils Naples ? demanda alors Luke.

— Non. Je les ai emmenés passer un week-end à Paris à l'occasion d'un de leurs anniversaires de mariage mais, hormis ce voyage, ils ne sont jamais allés à l'étranger.

— Je vais partir quelques jours pour mes affaires. Pourquoi ne pas profiter de mon absence pour les inviter à venir te voir ? Je suis sûr qu'ils aimeront Naples. Le mois de mai commence bientôt, et tous les ans il y a toutes sortes de manifestations culturelles au début de ce mois : concerts de rue, spectacles en tous genres, chanteurs napolitains et j'en passe. Téléphone donc à tes parents pour les inviter à cette occasion, tu ne le regretteras pas et eux non plus.

C'est ainsi que trois jours après, elle accueillait ses parents à l'aéroport.

On aurait dit deux gosses qui découvrent la mer pour la première fois, tant ils furent éblouis par la baie de Naples !

Elle consacra son week-end à leur faire visiter la ville, de sorte que le lundi, quand elle dut retourner au bureau, ils étaient suffisamment familiarisés avec les vieux quartiers pour ne pas se perdre. Ils visitèrent les églises baroques et les musées. Le lendemain, ils se rendirent en train à Pompéi pour arpenter les rues de la ville antique.

Le surlendemain soir, Enrico les invita tous les trois dans un excellent restaurant où il les amusa avec des histoires cocasses, tout en flirtant outrageusement avec la mère d'Olympia sous le regard faussement résigné de son père.

— Elle est incorrigible, glissa ce dernier à l'oreille de sa fille. L'âge n'y fait rien, dès qu'elle voit un homme, il faut qu'elle le séduise.

Mais la fierté dans sa voix n'échappa pas à Olympia, qui sourit d'un air entendu.

Quand ses parents et elle regagnèrent l'appartement ce soir-là, ce fut pour découvrir que Luke était de retour, endormi sur le canapé.

Celui-ci se redressa vivement en se frottant les yeux.

— J'ai bouclé mes affaires plus rapidement que prévu, expliqua-t-il. Et j'avoue que je ne le regrette pas, ajouta-t-il à l'adresse du vieux couple. Je tenais tant à faire votre connaissance.

Sur ces mots, il alla chercher une bouteille de vin, et tout le monde s'installa sur la terrasse pour boire un dernier verre en discutant aimablement.

Quand ce fut l'heure d'aller au lit, Luke appelait ses hôtes Harold et Angela, et tous deux étaient sous son charme.

Il y eut cependant un moment embarrassant quand il apparut que Luke entendait passer la nuit sur le canapé.

— Pour quoi faire ? dit aussitôt Angela, voulant montrer qu'elle était large d'esprit. Inutile de changer vos… euh… vos habitudes à cause de…

— Laisse-les donc, s'emporta Harold, gêné. Ce sont leurs affaires, ne nous en mêlons pas et allons nous coucher. Bonne nuit à tous les deux.

Une fois seul avec Olympia, Luke la regarda avec malice.

— J'ai l'impression que ta mère m'a donné son feu vert pour…

— Je sais, je sais, le coupa-t-elle, narquoise. Malgré ce, si tu veux bien m'excuser, je vais me retirer.

— Tu ne veux pas que je t'accompagne ? insista son compagnon, toujours espiègle.

— Vraiment pas, non merci, minauda Olympia en plaisantant. Bonne nuit, Luke.

11.

Le lendemain matin, après le petit déjeuner, Luke eut une conversation téléphonique avec sa mère, avant de revenir auprès de ses hôtes pour annoncer que tout le monde était invité à dîner à la villa le soir même.

Olympia prit conscience que cette invitation allait accréditer encore davantage sa prétendue histoire d'amour avec Luke, mais qu'y pouvait-elle ?

Elle souffrait toujours cruellement d'avoir été abusée par Primo, et Luke lui permettait de sauver la face tout en menant une vie agréable, et surtout en évitant la solitude. En outre, depuis qu'ils habitaient ensemble, jamais il n'y avait eu quoi que ce soit d'équivoque entre eux. Alors, se disait-elle, tant pis si elle jouissait de cette sorte de confort au prix d'un petit malentendu, du moment qu'il n'y en avait aucun dans l'esprit de Luke !

Le soir, ses parents furent accueillis à la villa en hôtes d'honneur. Selon la tradition, toute la famille s'était massée sur le perron de l'escalier monumental pour leur souhaiter la bienvenue. Toni fut le premier à baiser la main d'Angela, comme le protocole l'exigeait. Suivirent Ruggiero, puis Carlo, puis…

— Regardez qui est là ! s'exclama Hope tout excitée. Mais vous êtes au courant de son retour, j'imagine ?

— Non, je l'ignorais, répliqua Olympia, le souffle court.

Quand Primo lui serra la main, elle eut l'impression d'une brûlure, tandis que son cœur s'emballait.

— Je n'ai informé personne que je rentrais, dit-il alors. Mais quand j'ai appelé *mamma* et qu'elle m'a dit qui était attendu ce soir, je suis bien sûr venu !

Olympia ne l'avait pas vu depuis six semaines. Elle le trouva changé, et son cœur se serra : il avait maigri, de profonds cernes sombres soulignaient ses yeux. Avait-il passé comme elle de longues nuits sans sommeil à songer avec tristesse combien les choses auraient pu être différentes entre eux ?

Il se montra d'une parfaite courtoisie avec Angela et Harold, tout en conservant une certaine réserve. Puis, quand Hope et Toni entraînèrent leurs deux hôtes d'honneur sur la terrasse afin de leur offrir un apéritif, il porta les yeux sur Luke.

— Permets-moi de te féliciter pour tes fiançailles.

Olympia eut aussitôt un geste de dénégation.

— Primo… écoutez…

Elle allait le détromper, mais il poursuivit sans la laisser parler :

— Maintenant, j'aimerais vous présenter à tous les deux la *signorina* Galina Mantini.

Olympia venait tout juste de repérer en limite de son champ de vision une jeune femme qui avançait dans leur direction. Tournant la tête, elle découvrit alors la jeune fille la plus ravissante qu'elle ait jamais vue. Elle devait avoir dix-huit ans, guère plus. Ses longs cheveux blonds flottaient librement sur ses épaules, lui descendant presque jusqu'à la taille, et son visage aux traits fins avait un éclat exceptionnel.

Celle-ci posa une main possessive sur le bras de Primo, portant sur lui un regard éperdu d'admiration.

— Je te présente mon frère Luke, Galina, déclara Primo, et voici sa fiancée, Olympia.

— *Buon giorno*, susurra la belle Galina d'une voix exquise.

Prenant sur elle, Olympia réussit à faire bonne figure, de sorte que nul ne soupçonne combien elle était blessée.

Blessée, mais furieuse aussi, car la tristesse qu'elle avait éprouvée en pensant à Primo pendant toute ces semaines lui semblait soudain absurde, dérisoire. Dire qu'elle s'était imaginé qu'il avait peut-être pour elle des sentiments semblables aux siens ! Que d'illusions elle s'était faites !

Elle rejoignit ses parents sur la terrasse.

Grand-père Rinucci, comme tout le monde appelait le père de Toni, s'était visiblement pris d'affection pour eux et leur racontait des histoires d'antan.

— Quel homme étonnant, lui souffla Angela comme elle s'approchait, sais-tu qu'il a été témoin de la dernière éruption du Vésuve ?

Luke, qui l'avait suivie, se mit à rire.

— Oui, déclara-t-il. C'était en 1944, juste après la libération de l'Italie. L'éruption a duré trois jours, et depuis, chaque fois que quelqu'un ment, le volcan envoie un nuage de fumée dans le ciel pour signaler le mensonge.

Il avait parlé sur le ton d'un enfant qui récite une leçon, et Angela se mit à rire.

— Il vous l'a dit souvent, j'imagine ?

— Je l'ai entendu nous raconter l'histoire de l'éruption au moins mille fois, assura Luke en riant.

Tout le monde se trouvait sur la terrasse à présent. Angela promena un regard admiratif sur cette étonnante assemblée de garçons avant de glisser à Hope :

— Vous en avez de la chance d'avoir tous ces fils ! Et ils sont si beaux !

— Moi, je vous envie votre fille, avoua Hope. Le drame de ma vie a été de ne pas en avoir.

Puis elle ajouta sur le ton du murmure, prenant un air de connivence :

— Peut-être bientôt nous partagerons-nous Olympia ?

Le dîner fut un succès. Hope avait placé Harold à côté de grand-père Rinucci qui parlait un assez bon anglais. Il l'avait appris des Alliés en 1944, annonça-t-il à la cantonade.

Quelqu'un lança alors en plaisantant :

— Bien sûr, quand s'est produite la dernière éruption du Vésuve.

C'est là qu'Harold se gagna l'amitié indéfectible de son voisin.

— Est-il vrai que vous en avez été témoin ? lui demanda-t-il. Oh, je vous en prie, racontez-moi.

Toute la table se mit à rire, sachant fort bien qu'il avait entendu l'histoire dix minutes auparavant.

Ensuite les conversations roulèrent, animées et joyeuses.

Olympia se surprit à regarder Primo et Galina. Ils semblaient inconscients de ce qui se disait autour d'eux tant ils étaient absorbés l'un par l'autre. A moins que Primo ne soit subjugué par le décolleté plongeant de sa voisine, songea-t-elle aigrement. En tout cas, il ne lui avait pas fallu longtemps pour la remplacer…

La voix de grand-père Rinucci la ramena au présent. Le vieux monsieur, qui était un peu sourd, parlait fort en s'adressant à Angela, et toute la tablée porta les yeux sur lui.

— Vous reviendrez bientôt à Naples pour le mariage, j'espère ?

— Quel mariage ? s'étonna son interlocutrice.

— Peut-être celui de Primo et Galina, ou alors celui de Luke et Olympia. J'adore les mariages !

Olympia prit aussitôt la parole.

— Je n'ai pas l'intention de me marier, déclara-t-elle haut et fort. Ma carrière me suffit.

— Allons, chérie, ne parle pas ainsi, s'exclama sa mère. Tu ne le penses pas.

— Si, je le pense ! L'amour pour moi n'est qu'un miroir aux alouettes !

Un grand silence se fit autour de la table, où tout le monde afficha

133

un visage stupéfait. Puis un grondement lointain se fit entendre, et les convives se tournèrent vivement vers la fenêtre.

Le bruit sinistre cessa… pour recommencer plus fort, plus menaçant encore. Alors, avec un bel ensemble, tout le monde se précipita sur la terrasse. Le Vésuve venait de cracher un petit nuage de fumée pâle qui s'élevait lentement dans le ciel nocturne.

— Croyez-vous qu'il va y avoir une nouvelle éruption ? demanda Angela, tout excitée.

— Non, ces petites manifestations sont fréquentes, répliqua aussitôt Hope pour rassurer son invitée, elles ne signifient rien.

— Oh si, la contredit aussitôt grand-père Rinucci, elles signalent au contraire que quelqu'un vient de dire un mensonge.

En parlant, le vieux monsieur fixait Olympia.

Elle ne put s'empêcher de rougir avant d'affirmer :

— Je n'ai pourtant pas menti, je pense chaque mot de ce que j'ai dit.

Le Vésuve fit entendre un nouveau grondement, tandis qu'un autre plumet de fumée s'échappait de son cratère. Cette fois, les rires fusèrent.

Peu après, une fois le dîner terminé, Olympia en profita pour aller faire quelques pas dans le jardin, voulant être seule et réfléchir à ce qui venait de se produire. Elle n'était pas superstitieuse, mais ces grondements du volcan étaient tout de même confondants…

Elle en était là de ses pensées quand Primo se matérialisa à son côté.

— Je vous trouve très en beauté, lui dit doucement celui-ci.

— Et vous-même me semblez en pleine forme, mentit-elle. Vous êtes définitivement de retour parmi nous ?

— Pour quelque temps, en tout cas.

— Comment va Cedric ?

— Il profite de sa retraite et paraît très content de ne plus travailler.

Olympia se tut quelques instants, puis ce fut en hésitant qu'elle déclara :

— A propos de Cedric, j'ai réfléchi et me suis souvenue qu'il vous avait rencontré bien avant moi. Il savait donc qui vous étiez réellement, n'est-ce pas ?

Primo se contenta d'opiner.

— Comment l'avez-vous persuadé de ne rien dire ? En doublant sa prime de départ à la retraite ?

Cette fois, elle avait parlé âprement.

— Je ne l'ai pas tout à fait doublée, non, admit Primo avec un sourire.

— Vous l'avez donc acheté ! Tout comme vous avez acheté le portier de l'hôtel Vallini pour qu'il ne me prévienne pas, le soir où vous êtes monté dans ma suite quand Luke s'y trouvait.

Comme Primo faisait mine de protester, elle s'emporta.

— Ah non, n'essayez pas de nier. L'homme lui-même me l'a avoué quand je lui ai reproché de ne pas m'avoir téléphoné. Mais dites-moi, Primo, vous ne connaissez donc que deux moyens de communiquer avec les gens ? Soit vous leur mentez, soit vous les achetez ?

— Olympia, je vous en prie…

— C'est bon, je m'arrête. Je n'ai plus rien à vous dire.

— Dites-moi seulement quand vous comptez annoncer officiellement vos fiançailles avec mon frère. C'est bien la raison de la présence de vos parents à Naples, j'imagine ?

Elle le regarda, interloquée.

— Pas du tout ! Ils sont seulement venus passer quelques jours avec nous.

— Nous, dites-vous ?

— Oui. Ils logent chez Luke.

— Je vois.

De nouveau, elle s'emporta.

— Non, ce que vous imaginez est faux ! s'exclama-t-elle. Luke m'a dit de les inviter parce qu'il s'absentait en voyage d'affaires et qu'ils pourraient occuper sa chambre. Or, il se trouve qu'il est rentré plus tôt que prévu.

— Mais ils sont visiblement enchantés de votre relation avec mon frère. Votre père rêve du jour où il vous conduira à l'autel tout de blanc vêtue, je l'ai vite compris !

Primo avait prononcé cette dernière phrase d'un ton grinçant.

Olympia leva les yeux au ciel, excédée.

— Vous n'avez pas entendu ce que j'ai dit à table ?

Primo eut un petit rire âpre.

— Si, et le Vésuve aussi l'a entendu.

— Vous n'êtes pas superstitieux, tout de même ?

— Tous les Napolitains le sont. Le Vésuve, du haut de sa splendeur menaçante, sait quand les gens mentent.

— Oh, assez de bêtises, s'exclama Olympia avec irritation. Je vais rejoindre les autres.

Sur la terrasse, on avait servi le café, et Hope racontait l'histoire de Justin, le fils qui lui avait été enlevé dès la naissance. Voyant Olympia s'approcher, elle lui sourit.

— Avec l'été qui arrive, conclut-elle, peut-être Justin reviendra nous voir à Naples, et ainsi vous ferez sa connaissance.

— J'aimerais beaucoup, répliqua Olympia. Je trouve tellement émouvant que vous vous soyez retrouvés après si longtemps, tous les deux.

— C'est grâce à Primo, déclara Hope avec un regard reconnaissant à l'intéressé. C'est lui qui m'a rendu mon fils aîné.

Primo parut aussitôt embarrassé.

— Non, *mamma*, protesta-t-il, vous vous seriez retrouvés sans moi. Tu manquais autant à Justin qu'il te manquait. Tôt ou tard, il t'aurait cherchée et trouvée.

Le ton dont il avait usé disait clairement qu'il voulait clore le sujet, de sorte que Hope n'insista pas. Ce fut Ruggiero en revanche qui demanda :

— Et Evie ? Croyez-vous que nous la reverrons ?

— Je crains que non, hélas, soupira Hope. Il s'agit de la jeune femme qui accompagnait Justin quand il est venu à Naples la première fois, expliqua-t-elle en croisant le regard interrogatif d'Olympia. Jolie, gentille, intelligente, il était clair qu'elle adorait Justin, et voilà qu'apparemment ils ont rompu.

— Peut-être ne s'aimaient-ils pas vraiment, fit valoir Toni.

— Pourquoi parlez-vous ainsi ? intervint vivement Olympia, comme poussée par une force inconnue. Parfois, deux personnes s'aiment et pourtant se séparent parce qu'elles n'ont pas trouvé le moyen de communiquer et de se comprendre.

Hope dressa l'oreille et se tourna pour la regarder curieusement.

— Vous avez raison, Olympia, approuva-t-elle. Justin a un caractère difficile, il le reconnaît lui-même, et je doute qu'il fasse un mari accommodant, mais Evie aurait pu être la femme qu'il lui fallait, si seulement…

— Si seulement on les avait aidés, acheva Olympia à sa place.

Hope porta sur elle un regard plein d'espoir.

— Mais comment les aider ? demanda-t-elle.

— En leur parlant, en les écoutant, et en les poussant sur la voie du dialogue, répliqua Olympia, étonnée de s'entendre dire des choses pareilles.

— Ah, si j'osais ! murmura Hope. Mais ma famille m'accuse déjà de me mêler de tout…

— Laissez les gens parler et faites ce que votre cœur vous dicte, dit encore Olympia. Et dans un élan de tendresse, elle s'approcha d'elle pour lui serrer affectueusement l'épaule.

Un peu plus tard dans la soirée, comme Olympia s'était éloignée dans la douce fraîcheur de la nuit, éprouvant de nouveau le besoin d'être seule, elle entendit des pas qui approchaient.

— Comme il fait bon dans le jardin, maintenant ! s'exclama doucement une voix féminine.

Reconnaissant Hope, Olympia voulut la rejoindre, mais la voix de Primo s'éleva.

— En effet. Viens t'asseoir un moment avec moi, *mamma*. Je te trouve une mine fatiguée.

— Je le suis en effet, mais quelle merveilleuse soirée ! Galina et Olympia sont aussi belles l'une que l'autre. Je me demande quand…

— Quand Justin reviendra, la coupa vivement Primo, de toute évidence pour éviter qu'elle n'enfourche son cheval de bataille favori, le mariage de ses fils et ses éventuelles belles-filles.

— Oui, cela aussi, je l'attends avec impatience soupira Hope. Il me manque tellement.

— Tu as réfléchi à ce que disait Olympia ? voulut savoir son fils.

— Bien sûr, et j'aimerais tant penser qu'elle a raison ! J'oserais alors intervenir…

Hope prit un ton malicieux pour ajouter :

— Mais je suppose que le plus avisé de mes fils me le déconseillera ?

— Tu te trompes, *mamma*. Pour moi, Olympia est dans le vrai.

— Tu lui donnes raison ? Je croyais que tu ne l'aimais pas. Essentiellement d'ailleurs parce que Luke est amoureux d'elle.

— Pas du tout, j'ai beaucoup d'estime pour elle, et elle fera une excellente épouse pour Luke. Mais c'est aussi une femme avisée à qui la vie a enseigné de dures leçons.

— Tu parles comme si tu la connaissais parfaitement, s'étonna Hope.

— Je la connais mieux que tu ne l'imagines. Ce qu'elle t'a dit ce soir, c'est la sagesse qu'elle a puisée dans la souffrance qui le lui a dicté. Il faut l'écouter, *mamma*. Si Evie et Justin sont faits l'un pour l'autre, nous devons les aider à surmonter leurs difficultés quelles qu'elles soient.

— C'est *toi* qui parles ainsi ?

Primo marqua un silence avant de soupirer :

— Oui, c'est moi. Parce que je sais maintenant que quand on a trouvé l'être avec qui on veut partager sa vie, le perdre par imprudence ou même par bêtise est aussi douloureux que stupide. Je ne le souhaite à personne, surtout pas à Luke ni à Justin.

— Ni à toi-même ? murmura doucement Hope.

Primo eut un petit rire amer.

— Oh, moi, je sais m'occuper de moi.

— En es-tu si sûr, mon fils ? Je le pensais autrefois, tu semblais si fort…

— Je le suis davantage encore aujourd'hui, *mamma*. Ne te fais aucun souci pour moi. Et maintenant, rentrons. L'air commence à fraîchir.

Olympia, elle, ne bougea pas. Et quand le bruit de leurs pas devint inaudible, elle s'aperçut qu'elle avait le visage mouillé de larmes. Quand avait-elle commencé à pleurer ? Elle n'aurait su le dire.

Tous les ans, au mois de mai, Enrico donnait une grande réception où il invitait les notables de la ville, le conseil municipal, les principaux membres des grandes familles napolitaines et la plupart des directeurs de ses sociétés.

Cette année, il avait aussi convié les cadres des sociétés anglaises que Leonate avait acquises afin de célébrer leur entrée dans la holding. Et bien sûr, il avait persuadé Harold et Angela de prolonger leur séjour à Naples le temps d'assister à la fête.

Le soir dit, Luke et Olympia ainsi que les parents de celle-ci se rendirent donc au somptueux palais loué par Enrico pour y recevoir ses invités.

La soirée s'annonçait grandiose, les Rinucci étaient venus en force : Francesco était là avec une toute nouvelle petite amie sur laquelle Hope fondait déjà de grands espoirs, et bien sûr Primo arriva parmi les premiers avec la superbe Galina. Celle-ci, dans une robe entièrement blanche avec un décolleté plongeant, s'attira aussitôt les regards admiratifs de tous les hommes présents.

Elle était vraiment très belle, dut admettre Olympia avec un petit pincement au cœur. On pouvait difficilement reprocher à Primo de la trouver à son goût. Elle-même avait choisi de porter une robe de soie bleu nuit. Heureusement qu'elle n'avait pas opté pour du blanc ! Elle n'aurait pas su rivaliser avec la magnifique Galina.

Enrico ne tenait pas en place. Quand l'assistance fut au complet, il s'en alla chercher Primo puis Olympia et, les prenant par la main, les attira à l'écart :

— Je compte sur vous pour ouvrir le bal, déclara-t-il.

— Et pourquoi donc ? demandèrent en chœur les deux intéressés.

— Parce que nous célébrons la fusion de nos entreprises italiennes et anglaises et que vous êtes tous les deux leurs représentants. Vous symbolisez aux yeux de tous l'ère de collaboration sereine et productive qui s'annonce. Voilà pourquoi je veux qu'on vous voie ensemble.

— Il s'agit de sociétés commerciales, pas de royaumes ! objecta Olympia.

Tandis que Primo maugréait entre ses dents :

— Je crois que c'est une mauvaise idée, Enrico.

Mais le vieux directeur ne voulut pas en démordre. Il argumenta tant et tant que, lorsque l'orchestre attaqua la valse d'ouverture, Primo et Olympia furent obligés de s'exécuter.

— Je suis désolé, murmura Primo en enlaçant Olympia.

— Ne vous inquiétez pas, soupira-t-elle. Enrico ne pense pas à mal. Contentons-nous de suivre la musique en souriant, puis nous reprendrons chacun notre chemin.

— Comme c'est triste de vous entendre parler ainsi.

140

— Pourquoi ? Le vôtre vous mènera sûrement quelque part où vous serez heureux, puisque Galina vous attend.

Olympia sentit son cavalier se raidir, et c'est d'une voix impénétrable qu'il marmonna :

— Puisque vous avez parlé de Galina, parlons de Luke. Dites-moi que vous n'êtes pas amoureuse de lui. Je veux l'entendre de votre bouche.

— Je vous ai déjà dit ce que je pensais de l'amour, je n'ai rien à ajouter.

— Ensorceleuse, murmura-t-il tout contre sa joue.

Sa bouche était si proche qu'elle sentait son souffle sur ses lèvres. Le désir qu'il l'embrasse devint si violent qu'elle crut un moment s'évanouir. Elle avait tellement envie de sentir sa bouche sur la sienne que plus rien ne comptait soudain, et tant pis pour les gens qui les regardaient… S'il ne l'embrassait pas, elle-même prendrait ses lèvres. Elle allait le faire, oui, elle n'y tenait plus…

La musique ralentit puis s'arrêta, et les applaudissements de l'assistance fusèrent.

Lentement, Primo la reconduisit jusqu'à Luke avant de rejoindre la belle Galina.

Comme elle l'avait dit, ils reprenaient chacun leur chemin.

12.

Les parents d'Olympia étaient repartis depuis quelques jours quand Luke rentra un soir à l'appartement tout excité.

— *Mamma* a réussi à faire entendre raison à Justin, expliqua-t-il. Il a renoué avec Evie, et le mariage sera célébré à Naples le mois prochain.

La semaine suivante, Olympia passa plusieurs soirées à la villa Rinucci pour aider Hope à prévoir l'organisation des festivités, et bientôt toute la famille fut réquisitionnée pour accomplir les mille et uns préparatifs de la fête.

Il fut décidé que Justin, Evie et Mark, le fils de Justin, arriveraient à Naples deux jours avant le mariage et logeraient à la villa.

— C'est la solution la plus pratique, confia Hope à Olympia, même si le protocole veut que les fiancés ne couchent pas sous le même toit avant la cérémonie.

— Sans compter que, ainsi, vous redouterez moins qu'ils ne vous échappent une nouvelle fois, fit observer Olympia avec un sourire de connivence.

Sans nier, Hope se mit à rire.

Le jour dit, ce furent Toni et Primo, récemment rentré d'Angleterre, qui allèrent chercher les futurs mariés à l'aéroport, et le soir même, toute la famille se réunissait à la villa pour le dîner.

Olympia fut aussitôt séduite par Evie, dont le bon sens et la joie de vivre se doublaient d'une intelligence très vive. Justin en revanche parla très peu, il était visible que c'était un être tourmenté. Cependant, il semblait éperdument épris d'Evie et ne la quitta pas des yeux pendant le repas.

Mark enfin se révéla un enfant adorable. Son bonheur à l'idée de la fête qui se préparait était touchant. De toute évidence, il adorait Evie.

— Il me rappelle Primo quand j'ai épousé son père, confia Hope à Olympia après le repas. Le pauvre enfant voulait tellement retrouver une maman, et il paraissait si heureux le jour du mariage.

Pourtant, ce bonheur n'avait pas duré. La seconde mère de Primo lui avait été enlevée comme la première, et depuis il s'était toujours senti menacé d'abandon… Voilà pourquoi, réalisa-t-elle avec tristesse, sous son apparence d'homme fort et sûr de lui se cachait un être fragile, toujours en quête de quelque chose qu'il ne trouvait nulle part.

Justin aussi avait été malmené par la vie, et de bien pire manière : arraché à sa mère dès la naissance, il avait été rejeté par sa famille d'adoption qui l'avait abandonné dans une institution. Alors comment s'étonner qu'adolescent il ait frisé plus d'une fois la délinquance ? Pourtant, contre toute attente, il avait retrouvé le droit chemin. Aujourd'hui, il possédait une très importante société qui rapportait beaucoup d'argent. Mais les blessures mal cicatrisées demeuraient, et c'est à cause d'elles, lui avait expliqué Hope, qu'il avait rompu avec Evie, craignant de ne pouvoir la rendre heureuse. Par bonheur, cela s'était arrangé grâce à l'intervention de Hope, et nul doute qu'ils formeraient maintenant un couple solide.

Le matin du mariage, toute la famille Rinucci, les parents et les amis s'étaient mis sur leur trente et un.

Galina arriva avec Primo dans une ravissante robe bleu pâle qui, pour une fois, nota Olympia, avait un décolleté presque modeste. Elle portait aussi à son cou une lourde chaîne en or qu'elle ne cessait d'effleurer de ses doigts. Un cadeau de Primo ? Dans ce cas, il fallait certainement y voir une déclaration d'intention...

Justin avait choisi Primo comme témoin parce que c'était lui qui avait retrouvé sa trace et l'avait rendu à sa mère. Evie n'ayant pas de famille, c'est Toni qui la conduirait à l'autel.

Tout le monde était réuni sur la terrasse, attendant le signal pour se rendre à la cérémonie religieuse. Hope apparut, toute à son affaire.

— Il est l'heure que le marié parte pour l'église avec son témoin, lança-t-elle. La voiture attend.

Justin s'avança alors, visiblement très ému, et Primo le prit par le bras. Quelques instants plus tard, tous deux partaient avec Galina.

Un moment après la mariée parut sur la terrasse, et les conversations cessèrent.

Evie portait une robe très simple couleur ivoire, avec un court voile retenu par des fleurs. Elle était très belle, mais ce qui frappa le plus Olympia ce fut son expression modeste et sereine, ainsi que la force inébranlable que l'on sentait en elle. Autant de qualités qui seraient utiles à l'homme qu'elle aimait.

Tandis qu'Evie gagnait au bras de Toni la limousine qui les conduirait à l'église, Luke rejoignit Olympia pour l'entraîner vers sa voiture.

Elle se laissa entraîner, le cœur serré. Jamais elle n'aurait le bonheur d'être ainsi accueillie au sein de la famille Rinucci, car en dépit de ce que tout le monde attendait, son mariage avec Luke n'aurait pas lieu. La petite comédie qu'ils jouaient tous deux avait maintenant assez duré, songea-t-elle soudain. Elle trouvait de plus en plus douloureux de voir Primo avec Galina, et désormais, plus le temps passerait, plus Hope serait déçue en apprenant la vérité. Il était donc temps de jeter le masque et de quitter Naples.

Primo...

Pour essayer de l'oublier, il ne lui suffirait pas de rentrer en

144

Angleterre, où elle serait appelée à travailler avec lui. Il lui fallait aussi changer de job, repartir de zéro.

Elle serra les dents. Elle en était capable, puisqu'elle l'avait déjà fait !

La cérémonie religieuse fut infiniment émouvante, et lorsque les nouveaux époux eurent échangé les serments d'usage, ils sortirent de l'église aux accents des grandes orgues. Dehors, les flashes crépitèrent sous les poignées de riz et les pétales de rose lancés par les enfants.

Le déjeuner qui suivit eut lieu dans les jardins de la villa et fut clôturé par les discours de circonstances puis on dansa sur la terrasse, et Olympia regarda avec nostalgie le marié enlacer sa nouvelle épouse pour ouvrir le bal au son de la valse traditionnelle. Elle les contempla quelques instants encore puis rentra d'un pas las se réfugier dans l'un des petits salons pour réfléchir à son futur départ.

Une voix hélas bien connue la tira de ses pensées.

— Vous songez à votre prochain mariage ? l'interrogea Primo d'un ton caustique.

— Ne dites pas de bêtises ! s'exclama-t-elle, oubliant toute retenue.

— Quand annoncerez-vous officiellement vos fiançailles ? Vous comptez nous laisser longtemps dans l'expectative ?

— Taisez-vous, Primo ! Vous savez parfaitement que je n'épouserai pas Luke.

Soudain, poussée par la colère, elle jeta la prudence aux orties.

— Comment avez-vous pu croire un instant que j'étais amoureuse de votre frère ?

— Que pouvais-je croire d'autre, quand vous vous êtes installée chez lui ?

— J'ai accepté de le faire parce que j'étais en rage contre vous. Vous auriez dû vous en douter. Mais maintenant, je suis lasse de jouer la comédie. Je vais partir, reprendre ma vie d'avant. L'heure est donc venue de nous quitter. Oublions ce qui s'est passé, Primo, et restons bons amis.

— Nous quitter, avez-vous dit ? répéta-t-il dans un souffle.

— Oui, je vais rentrer en Angleterre.

Primo la regarda comme s'il ne comprenait pas ce qu'elle disait. Voyant qu'elle se détournait pour sortir du salon, il la retint par le bras.

— Lâchez-moi, s'exclama-t-elle, se débattant avec frénésie. N'importe qui pourrait entrer et nous surprendre.

— Je n'en ai que faire, bougonna-t-il en la tenant fermement. Il est temps que nous ayons une franche explication, Olympia. Vous vous êtes assez moquée de moi, vous ne croyez pas ?

— Vraiment ?

— Tout ce que vous avez fait ces derniers temps, je le vois maintenant, n'avait qu'un but : me punir ! Vous installer chez mon frère et vous comporter comme un couple avec lui devant ma famille a certainement été le plus douloureux pour moi. Vous vouliez me faire payer le fait de m'être fait passer pour Jack Cayman quand nous nous sommes connus. Vous y avez réussi au-delà de toutes vos espérances, croyez-moi. Mais ne pensez-vous pas que nous sommes quittes ?

— Oui, soupira-t-elle. C'est donc le moment d'en finir, vous et moi.

— Vous le croyez vraiment ? interrogea Primo, la dévisageant avec une expression indéchiffrable. Je trouve au contraire que c'est le moment de repartir de zéro. Et pour commencer, avouez que vous m'aimez !

Elle sursauta, choquée au-delà des mots.

— Est-ce un ordre ?

Contre toute attente, son ton outragé fit rire Primo, qui rétorqua, sur le ton de la plaisanterie :

— Oui, et tu es priée d'obéir, car j'ai attendu trop longtemps.

— Eh bien, vous attendrez encore longtemps !

— Dis-moi que tu m'aimes, ou alors je t'embrasse, dit-il encore, l'attirant plus étroitement contre lui.

L'instant d'après, il prenait ses lèvres et, l'aurait-elle voulu, elle n'aurait pu parler.

Il l'embrassa et l'embrassa encore, et il y avait tant de fièvre dans ses baisers qu'elle fut vite incapable de toute pensée cohérente.

Dire qu'elle s'était interdit d'aimer Primo Rinucci, qu'elle avait tout fait pour tuer cet amour qu'elle sentait naître en elle… A présent, il suffisait qu'il l'embrasse, et l'évidence l'emportait, car c'est avec un bonheur fou qu'elle s'abandonnait dans ses bras. Oui, elle l'aimait, et elle aurait beau le nier sa vie entière, elle l'aimerait quand même.

— Dis que tu m'aimes, ou jamais je n'arrêterai de t'embrasser, murmura-t-il sans lâcher ses lèvres.

— Alors je ne dirai rien, articula tant bien que mal Olympia, en proie à un violent émoi.

Il se mit à rire, et elle aussi.

— Oui, je t'aime, oh oui, je t'aime, soupira-t-elle, mais par pitié, embrasse-moi encore.

Il le fit, et ils s'étreignaient avec tant d'ardeur qu'ils n'entendirent pas que quelqu'un d'autre entrait dans le petit salon.

— Eh bien bravo, tous les deux ! lança Luke, sardonique. On dirait que vous arrivez enfin à une heureuse conclusion ! Il vous en a fallu du temps !

Ils se dégagèrent vivement. Interdite, Olympia le regarda.

— Parce que depuis le début, tu… Enfin, tu…

— Eh oui, admit Luke. J'ai toujours espéré que vous en arriveriez là, et je n'ai pas ménagé ma peine pour que vous ouvriez enfin les yeux, tous les deux !

— Et pourquoi, peux-tu me le dire ? demanda Primo, oscillant entre colère et incrédulité

— Parce que je savais qu'Olympia était la seule femme capable de te tenir tête ! s'exclama Luke, moqueur. Désormais, nous allons bien nous amuser à voir Monsieur Je-Sais-Tout mené par le bout du nez !

Primo jura dans sa barbe, traitant son frère de toutes sortes de noms qu'Olympia ne put comprendre, ce qui n'eut pour résultat que de faire rire davantage Luke.

Craignant, comme Primo s'emportait de plus en plus, que les deux frères n'en viennent aux mains, Olympia s'interposa.

— Assez, maintenant ! Calmez-vous, Primo. Quels que soient les motifs de votre frère, nous lui devons beaucoup.

L'interpellé parut se reprendre, et Luke ricana :

— Tu vois, elle a déjà une bonne influence sur toi ! Elle te fait voir la vérité quand tu préférerais faire l'autruche. Avec un peu de patience, ma chère Olympia, tu arriveras peut-être à faire entrer un peu de bon sens dans la tête de mon prétentieux de frère ! Et maintenant, les amoureux, je vous laisse à votre bonheur. Mais nous nous reverrons ! Je ne veux pas manquer le spectacle de Primo docile comme un agneau devant sa jolie femme.

Sur le pas de la porte, il se retourna pour regarder son frère bien en face, sérieux tout d'un coup :

— J'oubliais ! Je compte bien être ton témoin de mariage, grand frère.

— Je n'en voudrais pas d'autre que toi, marmonna Primo.

Et comme Luke refermait la porte, il lança doucement.

— Merci, petit frère.

Luke se contenta de lui répondre par un clin d'œil malicieux.

De nouveau seuls, Primo voulut attirer Olympia dans ses bras, mais une chose la tracassait, et elle ne voulait pas attendre davantage pour en avoir le cœur net.

— Parle-moi de Galina. Tu voulais me rendre jalouse ?

— Plus simplement, donner le change et ne pas être seul quand tu t'affichais en permanence avec Luke.

— Est-elle amoureuse de toi ?

La question provoqua l'hilarité de Primo.

— Galina, amoureuse de moi ? Mais je suis un vieillard pour elle, qui n'a que dix-huit ans ! Ses parents sont mes amis, et un soir que je leur parlais de mes problèmes, elle m'a proposé de s'afficher avec moi pour m'aider à ne pas paraître le dindon de la farce. Voilà comment j'ai débarqué un soir à la villa avec Galina à mon bras. Allons donc la prévenir qu'elle est libre maintenant de sortir avec des garçons de son âge, que le vieux barbon que je suis n'a plus besoin d'elle, reprit Primo, riant toujours. Je puis t'assurer qu'elle en sera ravie.

Mais Olympia n'était toujours pas tranquille.

— Et cette superbe chaîne qu'elle porte à son cou, est-ce un cadeau de toi ?

— Oui, je lui ai offert ce bijou pour la remercier de ses services, pourrait-on dire, expliqua Primo.

— Je la trouve vraiment magnifique.

— Je t'en offrirai une dix fois plus belle, ma chérie !

En quittant Primo et Olympia, Luke s'était réfugié avec un verre de whisky dans la bibliothèque, bien décidé à noyer sa solitude dans l'alcool. C'est là que sa mère le trouva, un petit moment plus tard.

— Je viens de voir Primo et Olympia danser, tendrement enlacés, annonça-t-elle doucement, prenant place à côté de lui sur le divan. Tu es triste, j'imagine, mais c'est ce que tu cherchais depuis le début, n'est-ce pas, mon fils ?

— Oui, admit Luke, un rien nostalgique. Cela n'a pas toujours été facile à accepter, mais je savais que je n'avais aucune chance avec Olympia. Elle aimait Primo, il me fallait donc jouer la comédie en espérant qu'un jour les malentendus entre eux se dissiperaient.

— J'ai toujours su que tu étais un bon frère, soupira Hope, prenant sa main pour la tapoter affectueusement. Allons, ne sois pas triste. Tu trouveras un jour la femme qu'il te faut, toi aussi. Tu oublieras Olympia.

— Il me faudra du temps, avoua Luke, et pour commencer je crois que je vais quitter Naples quelque temps. Cela me fera du bien.

— Tu comptes aller loin ? demanda aussitôt sa mère, qui détestait voir s'éloigner ses fils.

— Non, je pense m'installer provisoirement à Rome. Il se trouve qu'un de mes clients qui me doit de l'argent et ne peut payer m'y a cédé un bien immobilier.

Il eut un petit rire amusé avant de reprendre :

— Je crains que ce ne soit un cadeau empoisonné. La maison n'est pas entretenue depuis des années, et il y a une avocate qui tourmente mon client à son propos. Il dit d'elle que c'est le diable incarné, et je crains fort qu'à moi aussi elle donne du fil à retordre.

— *Elle ?*

— Oui, une certaine Minerva Pepino. J'ai déjà reçu une lettre d'elle me réclamant de l'argent, et elle n'a pas l'air commode, je dois dire.

— Tant mieux, elle t'occupera l'esprit.

Hope se dressa avant de se pencher pour lui déposer un baiser sur le front.

— Va à Rome, mon chéri, et reviens pour le mariage de Primo escorté d'une jeune et jolie femme.

— Tu pourrais te contenter de deux belles-filles pendant un certain temps, s'exclama-t-il avec malice.

— Absolument pas ! Il m'en faut six, pas une de moins. Et maintenant, allons rejoindre nos invités !

La réception était finie, dans la maison tout le monde dormait, mais un couple d'amoureux tendrement enlacés se chuchotaient des mots doux dans le jardin baigné de lune.

— Quand je t'ai vue pour la première fois, j'ai su que tu étais faite pour moi. J'avais vécu si sagement, si raisonnablement jusque-là. Et soudain, je voulais perdre la tête, ne plus jamais te quitter, faire des folies.

Un rire tendre retentit dans la nuit.

— Oh, tu n'as pas manqué d'en faire !

— Tu ne me le reproches pas, j'espère ? Ou alors la femme que j'aime est-elle un dragon autoritaire et castrateur ?

— L'une des femmes que je suis l'est certainement.

— Il y a donc plusieurs femmes en toi ? murmura l'homme. Quelle chance, moi qui aime la variété, je vais bien m'amuser !

— Tu aimes la variété ? Tu comptes donc me tromper ? repartit la femme avec une indignation feinte.

— Seulement avec les différentes femmes que tu es. Je t'aime tant, *moi amoro*, je n'en aurais jamais eu suffisamment avec une seule !

Et la nuit n'entendit plus que leurs deux souffles haletants, tandis qu'ils s'embrassaient avec passion.

collection *Azur*

Ne manquez pas, dès le 1ᵉʳ mars

IRRÉSISTIBLE PROPOSITION, *Lynne Graham* • N°2663

Holly a peine à le croire. Rio Lombardi, le séduisant et puissant homme d'affaires, lui offre de l'épouser ! Pourquoi cette proposition alors qu'il la connaît à peine ? Mais Holly n'a pas le choix. Sans ressources et sans aucun soutien familial, elle sait que ce mariage est sa seule chance de pouvoir élever son fils décemment…

LE PASSÉ EN HÉRITAGE, *Margaret Mayo* • N°2664

Pour respecter les dernières volontés de son père, Joshua va devoir reprendre le domaine viticole qu'il a reçu en héritage. Mais ce n'est pas, hélas, sans conditions… En effet, il va devoir gérer la propriété familiale aux côtés de Leanne, qu'il n'a pas revue depuis cinq ans, depuis leur divorce douloureux et soudain…

MYSTÉRIEUSE INCONNUE, *Sandra Field* • N°2665

Enfant Secret Huit ans avaient passé depuis que Lia avait succombé à la passion dans les bras de Seth. Une nuit après laquelle elle s'était enfuie sans même lui révéler son identité. Aujourd'hui, alors qu'elle le retrouve par hasard, Lia retient son souffle. Car Seth est toujours aussi beau. Mais pour autant, doit-elle lui révéler qu'il est le père de sa fille ?

RENDEZ-VOUS EN TOSCANE, *Diana Hamilton* • N°2666

Lorsqu'elle ouvre la porte à Cesare Saracino, Milly devine aussitôt qu'il la prend pour Jilly, sa sœur jumelle. Effarée, elle découvre que celle-ci a extorqué de l'argent à la grand-mère de Cesare, avant de prendre la fuite. Milly n'a pas le choix. Pour protéger Jilly et réparer ses erreurs, elle va devoir se faire passer pour elle et suivre Cesare en Toscane.

Et les 4 autres titres…

LE SECRET DU CHEIKH, *Sharon Kendrick* • N°2667

Princes d'Orient   Alors qu'elle travaille à l'ambassade du Maraban à Londres, Lara, stupéfaite, apprend que le souverain a un demi-frère dont il ignore l'existence. Doit-elle révéler la vérité ? Pas avant de savoir qui est vraiment cet homme qui ne sait rien, lui non plus, de sa naissance. Mais face à celui qui risque de prétendre un jour au trône du Maraban, Lara, troublée, a bien du mal à se souvenir de la mission qu'elle s'est fixée.

LA MAÎTRESSE REBELLE, *Carole Mortimer* • N°2668

Quand elle rencontre Max Harding pour le convaincre de participer à son émission de télévision, Abby tombe immédiatement sous le charme. Mais s'il est évident que Max est lui aussi attiré par elle, il ne lui cache pas l'immense mépris qu'il éprouve pour elle et son métier de journaliste…

PRISONNIERS DU DÉSIR, *Susan Stephens* • N°2669

Négocier avec Costas Zagorakis, voilà une épreuve dont Lisa se serait bien passé. Mais pour sauver son entreprise, elle va tout faire pour que Costas accepte d'en racheter une partie. Même si elle doit pour cela accepter l'odieux marché de cet homme arrogant : passer cinq jours avec lui sur son île privée, perdue en Méditerranée…

IDYLLE ROMAINE, *Lucy Gordon* • N°2670
~ *La saga des Rinucci* ~

Après une histoire sentimentale douce-amère, Luke Cayman se rend à Rome pour rencontrer Mina Pepino, l'avocate qui le harcèle depuis des mois pour qu'il réhabilite un des immeubles dont il est le propriétaire. Mais alors qu'il s'attend à affronter une harpie, Luke découvre une ravissante jeune femme blonde… au caractère bien trempé.

Collection Azur
8 titres le 1er de chaque mois

Attention, numérotation des livres pour le Canada différente : numéros 1311 à 1318

L'ASTROLOGIE EN DIRECT
TOUT AU LONG
DE L'ANNÉE.

(France métropolitaine uniquement)
Par téléphone 08.92.68.41.01
0,34 € la minute (Serveur JET MULTIMÉDIA).

Composé et édité par les
*éditions*Harlequin
Achevé d'imprimer en janvier 2007

BUSSIÈRE
GROUPE CPI

à Saint-Amand-Montrond (Cher)
Dépôt légal : février 2007
N° d'imprimeur : 62382 — N° d'éditeur : 12585

Imprimé en France